JN278169

余命1ケ月の花嫁

愛する人が「あと1ヶ月の命」と言われたら
あなたはどうしますか？

余命1ヶ月の花
〜第一章 発覚〜

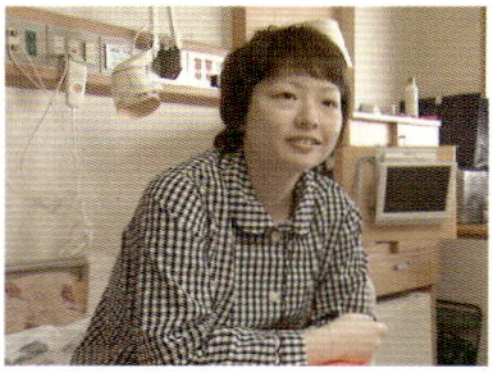

余命1ヶ月の花嫁
〜第四章 余命〜
"残り1ヶ月"

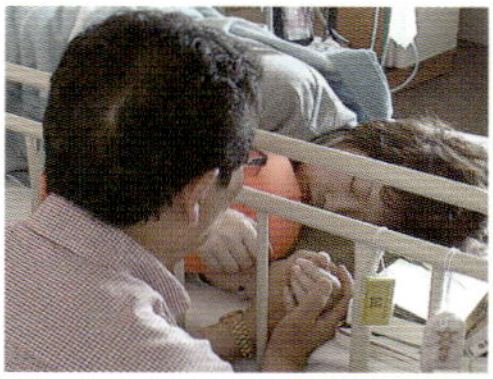

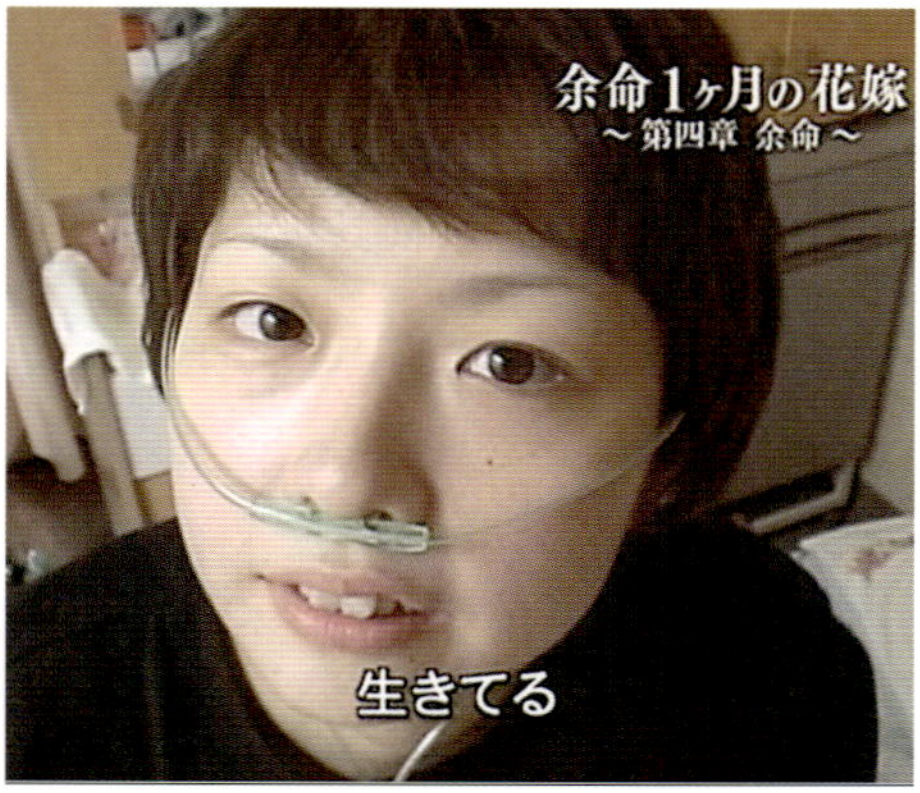
余命1ヶ月の花嫁
〜第四章 余命〜
生きてる

余命1ケ月の花嫁

目次

プロローグ――005
4月4日――007
国立がんセンター――009

第1章

発覚――013
太郎と千恵――019
告白――026
闘病開始――030
抗がん剤――034
乳房切除――039
父と母と――045
母の死――052

第2章

再発――056
ごめんね――065
再入院――067
月単位――079
予後週単位――085
迷い――091
闘病記――095
インタビュー――099

第3章

密やかな願い――110
結婚式前日――121
4月5日――125
花嫁の覚悟――131
結婚式――138

第4章

4月10日――153
モルヒネ――155
凪――161
最後の写真――168
4月13日――173
悪化――179

第5章

悲嘆――187
4月27日――192
別れ――195
告別式――203
絆――209
あとがき――216

プロローグ

抜けるような青空が広がっていた。街路樹の若葉が新しい季節の訪れを告げていた。真新しいスーツを着た若者が表参道の広い歩道を闊歩し、カップルが喫茶店でほほえみながら顔を寄せ合っていた。２００７年4月5日。静かで、平和で、暖かい春の日だった。

表参道から路地に入り、都心の住宅街をしばらく進んだところにその場所はあった。空に向かって高くそびえるゴシック様式の尖塔。大きな鉄扉の向こうに広がる大階段。そして漏れ聞こえる聖歌隊の歌声。中世ヨーロッパの教会を模して建てられたというこの建物は、東京でも特に人気の結婚式場、名をセントグレース大聖堂といった。多くのカップルの心に一生の思い出として刻み込まれる場所。それにふさわしい厳かな、そして華やかな雰囲気を有していた。

この日、一組のカップルがささやかな結婚式を挙げようとしていた。わずか18人の列席者は、神父の声で一斉に立ち上がり後ろを振り返った。パイプオルガンが「アヴェ・マリア」を奏で、木製の扉が静かに開いた。照明が抑えられた聖堂の中に、スポットライトのように外光が差し込む。あまりにまぶしく、一瞬目がくらむほどだ。そしてその光の中に、純白のウェディングドレスに身をつつんだ長島千恵さんが立っていた。横には緊張した面持ちの父親、貞士さんがいた。二人きりの家族だった。父と腕を組み、花嫁はゆっくりとゆっくりとバージンロードを歩いた。その先には白いタキシードを着た恋人の赤須太郎さんが待っていた。

どこにでもある結婚式の風景だった。しかし、誰もがその光景を信じられない思いで見ていた。目の前の女性が末期のがん患者であること、そして、残された命がわずか1ヶ月であるということを。

4月4日

結婚式の前日は花曇りの空だった。車窓から見える桜の木は満開のピークを過ぎていたが、まだ十分に花見が楽しめるほどに咲いていた。夕方からは天気が荒れるとの予報。しかし空気が重く感じたのはそのためだけではなかった。

ＴＢＳテレビの取材クルーはワンボックスカーにカメラ機材を載せ、東京・築地の国立がんセンター中央病院に向かっていた。車内は重い空気に満ちていた。記者の樫元照幸はカメラマンの福田功に取材の概要を説明していた。

「取材対象は24歳の女性で、乳がんが転移し、かなり重い状態だそうです。闘病の思いを同じ若い人たちに伝えたいという思いがあるらしいんですけど、どのくらい話ができる状態なのか、全然わかりません。友人の女性によると、薬を飲む時間の関係で午後3時頃にはいつも調子がいいらしいので、その時間に話を聞ければいいと思っています」

この時、樫元の脳裏には「かなり深刻な状態の患者」の姿が描かれていた。経験豊富なベテランカメラマンの福田も「これまでになく気の重い取材になりそうだ」と感じていた。

話はさらに前日の夜にさかのぼる。樫元が出張取材から赤坂のＴＢＳに帰社し、一段落ついたのは夜9時前だった。前の日にデスクから振られたネタのことを思い出した。「重いがん患者の若い女性が取材を希望しているらしい。連絡先は友人の女性。番号はこれ」。社会部の記者に話が来たものの忙しくて取材ができそうにないため、樫元が所属している番組「イブニング・ファイブ」に話が回ってきたのだ。

「重いがん・若い女性・取材希望」。３つの言葉は何度考えても相容れないように思えた。よく事態が理解できず躊躇《ちゅうちょ》する気持ちもあった。夜9時。人によっては突然の電話に不快感を示すかもしれない時間だ。「とりあえず話を聞くだけ聞いてみるか…」。樫元は携帯電話の番号を押した。すると、電話に出た女性は何よりも先に「本当にありがとうございます」と言った。

湯野川桃子さんは堰《せき》を切ったように話し始めた。「友人の長島千恵という女性ががんと闘っている。去年左胸の手術を受けたが3月に再発した。がんの進行がとても早く、肺や骨に転移しあっという間に末期の状態になった。最悪のケースだともうすぐ話ができなくなる可能性もある」。話の内容も衝撃的なものだったが、何よりもその女性の必死さが樫元の印象に強く残った。

国立がんセンター

国立がんセンター中央病院は築地市場を見下ろすように立つ19階建ての近代的な病院だ。天井の高いロビーに入ると大きなガラス窓から外光が入り込み、病院の待合室とは思えないような雰囲気がある。しかし決して明るい場所ではない。あちこちに点滴をしたままの患者が行き交い、患者の家族と思われる人たちが深刻な表情で会話をする様子がある。ここに来るすべての患者はがんであることを宣告され、それぞれがそれぞれの懸命な治療を続けている。

エレベーターは16階へと向かった。乳がん患者が入院するA号棟の一番奥にある個室。そこが千恵さんの病室だった。電話で話をした友人・桃子さんの案内で取材クルーは病室へと向かった。樫元は緊張を顔に出さないよう注意していた。がんは末期の状態。最悪だともうすぐ話ができなくなるかもしれない。その状況を千恵さん自身は知らないのだと聞いていた。あまりに緊張していたら千恵さんが不審に思うかもしれない。「自分はこれからがんとの闘いに勝とうとする女性と会うのだ」。そう言い聞かせていた。

しかし、病室に入った瞬間、樫元はその意外な光景に驚いた。ベッドの上には「末期がん患者」とは到底信じられないような、ふっくらとして明るい表情をしたかわいらしい女性が座っていたからだ。

「TBSの者です。よろしくお願いします」
「よろしくお願いします」
「今は調子はどうなのかな?」
「今はいいですね。さっきまでは痛みがひどかったんですけど。痛み止めを飲んだら落ち着いて……」

千恵さんは笑顔だった。何よりもそれが取材クルーの気持ちを軽くしてくれた。

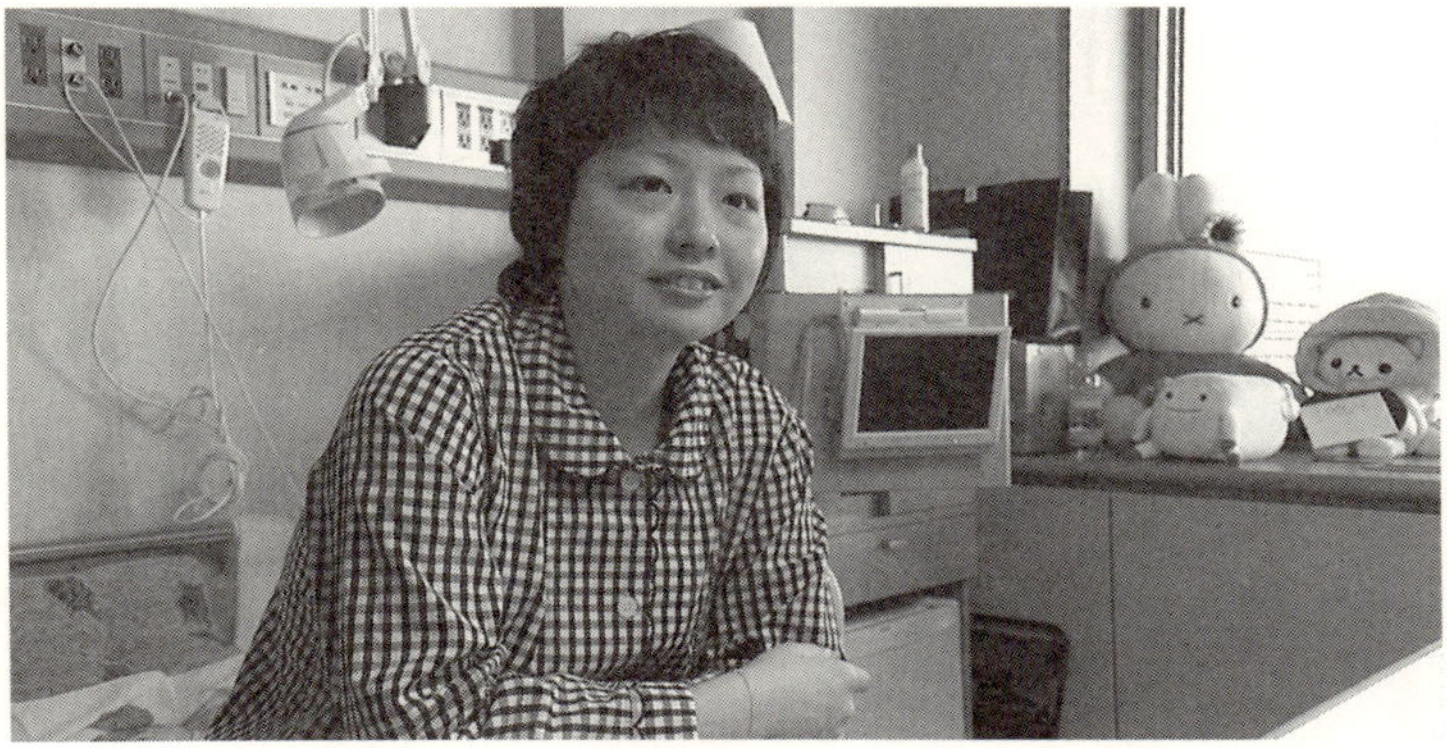

「いつもお友達がお見舞いに来てくれるのかな？」
「はい。必ず誰かが来てくれます。幸せですね」
「目の前にあるのは飲まなきゃいけない薬？」
「はい。朝、昼、晩と分かれていて。だいぶ増えちゃいましたね」

千恵さんは二人部屋から個室に移ったばかりなのだと教えてくれた。「いつでも友達と会えるように」という父・貞士さんの配慮だった。窓際にはたくさんのぬいぐるみが並び、花が飾られ、1ヶ月前まで仕事で使っていたというコンピューターの専門書が重ねて置かれていた。呼吸を助けるための酸素チューブに湿気を加える装置がプクプクという小さな音をたてていた。部屋の入り口には簡易ベッドがたたまれた状態で壁に立てかけてあった。後でわかったことだが、その日の夜から恋人・太郎さんが千恵さんの隣で寝るためのベッドだった。

体調に配慮して30分間に限って行われたインタビューで、千恵さんはこれまでの闘病の経過やその時々の気持ちを丁寧に説明してくれた。そしてこれからの夢や希望をはにかみながら教えてくれた。とても末期がんの患者とは思えないほど明るい表情だった。しかし言葉のところどころには不安や恐れが見え隠れし、同時にその不安や恐れに立ち向かう「覚悟」が見て取れた。「なんて強い女性なんだろう」。樫元は心の底から感じた。

第1章

発覚

長島千恵さんが乳がんになったのは23歳の秋だった。

街に出れば巻き髪の若い女性たちが闊歩し、有線放送のスピーカーからは倖田來未のヒット曲が聞こえた。千葉ロッテマリーンズの日本一がスポーツ紙を賑わせ、小泉純一郎首相が念願だった郵政民営化法案を国会で成立させた2005年の秋、千恵さんはイベントコンパニオンのアルバイトをして連日イベント会場や新製品の販売会場を回っていた。カラーコーディネーターとして将来独立することを考え、その資金を作るためのアルバイトだったが、華やかなコスチュームを着て人前に立つこの仕事を千恵さんはいつも心から楽しんでやっていた。

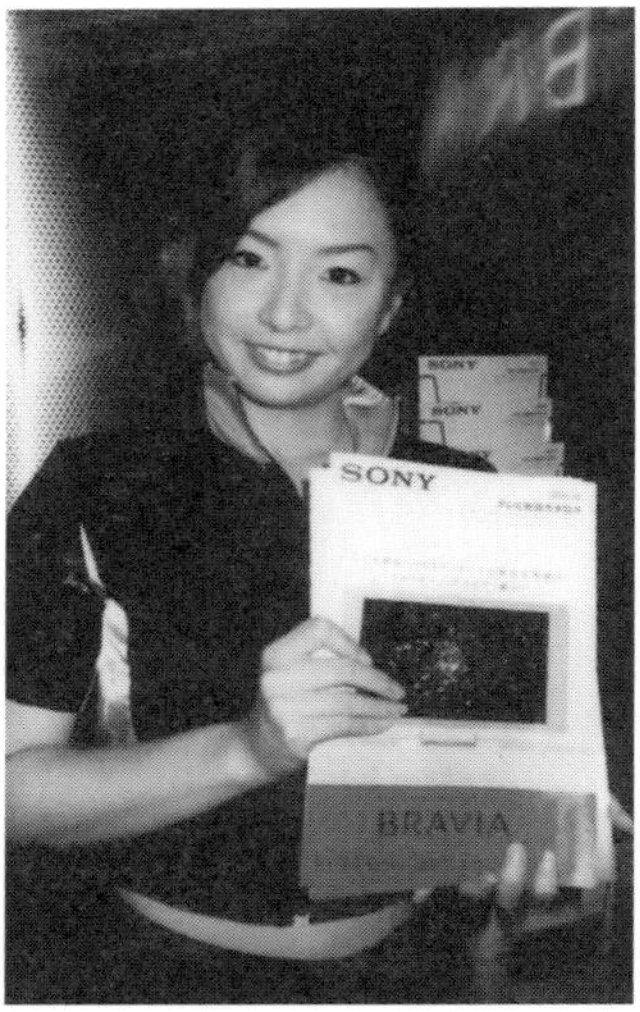

千恵さんが所属していたコンパニオン派遣事務所の責任者で、千恵さんを妹のようにかわいがっていた江川陽子さんは、最初に千恵さんに会った時のことを鮮明に覚えている。

「3年くらい前に初めて会った時にすごく丁寧に挨拶をしてくれたんです。若い女性にしては今時珍しいほど礼儀正しい子だと思いました。こういう仕事をする子には自分が目立ちたいと思う子がたくさんいるんですけど、千恵ちゃんはそういう性格じゃない。コンパニオンがたくさんいる時には後ろのほうにちょこんと立ってにこにこしているような女の子でした」

10月の終わりに23歳の誕生日を迎え、それからまもなくのことだった。千恵さんは左の胸に違和感を感じた。最初は小さなしこりだったが、あっという間に大きくなっていった。友人の駒村怜子さんは彼女の胸を触って驚きを隠せなかった。

「千恵が笑いながら『こんなに大きいのよ』って言ってたんですけど、触って本当にびっくりしました。直径5センチくらいの石が胸に入っている感じで、すごく硬かったです。それが目に見えて大きくなっていく感じでした」

若い女性の乳房にできるしこりは乳腺症や線維腺腫である場合が多い。これらはいずれも良性で特に治療の必要はない。「大したことはないだろう」と思っていた千恵さんだったが、あまりにも大きくなっていくしこりに不安を抱き、神奈川県の実家に住む父親の貞士さんに電話を入れた。

「あのね、お父さん……」、貞士さんはいつもとは違う娘の口調に嫌な予感がした。高校を卒業してから東京で一人暮らしを始めた千恵さんは、よほどのことがない限り電話はかけてこなかった。電話口の向こうで、千恵さんは意図的にそうしているかのように落ち着いた口調で言った。

「胸にしこりがあるの。ちょっと心配だから明日病院に行ってこようと思うんだ……」

「あら、それはちょっと心配だね。じゃあお父さんも一緒に行ってあげるよ」

そう言って電話を切った貞士さんは翌朝すぐに東京に向かった。

検査を受けたのは千恵さんが住んでいたマンションにほど近い総合病院だった。「何事もなければ」と願った父と娘だったが、医師の説明はあっけないほど簡潔で直接的だった。

「完全にがんです。すぐ手術したほうがいいですね」

「えっ？　まさか……」。突然告げられた乳がんの事実を貞士さんは信じられなかった。

娘はまだ23歳だ。その娘ががんだなんて……。思わず娘の顔を見ると千恵さんも唖然とした表情をしていた。

「絶対手術をしなくてはいけない状態なんでしょうか？」。千恵さんが聞いた。

「リンパ節までは広がっていないと思いますけど、手術をお勧めします。そして手術をするならできるだけ早いほうがいいと思います」と医師は話した。医師はさらに詳しい説明を続けたが、戸惑ったままの貞士さんの耳にはそれが具体的な言葉として入ってこなかった。その隣で千恵さんは真剣な顔で説明を聞いていた。

診察室を出た後、貞士さんは千恵さんに「手術で取ってしまえば大丈夫だよ。乳がんになった人でも何十年も生きている人もたくさんいるし」と励ますように声をかけた。しかし千恵さんにとっては簡単に割り切れる問題ではなかった。「ちょっと待ってよ……。切らずにすむ方法もあるかもしれない……」。それきり黙り込んでしまった。

医師に乳がんの宣告を受けてから1年4ヶ月。千恵さんはベッドの上で記者にこう話した。

——Q　最初にがんと言われた時はどんな気持ちでした？

「えっ？　って感じですね。本当に？　私が？　みたいな。なんか自分のことじゃない感じ。（違和感を感じてから検査まで）１ヶ月っていう期間があいちゃってて、進行がすごく早かったですね。だから、その１ヶ月でも本当にもったいない時間で。おかしいって思ったらその日に病院に行く、ぐらいの勢いで病院に行ったほうがいいって思いましたね……。後悔しましたね……」

もし違和感を感じてすぐに病院に行っていたら……。千恵さんは「後悔した」と語った。しかし23歳になったばかりの千恵さんには、がんという病気がどこか異次元の話のように思えた。消えないしこりを気にしてはいたが、よもや自分がその異次元に足を踏み入れているとは思ってもみなかった。

千恵さんは病室でこうも話した。

「まさかって思っちゃうから……。明日にはしこりがなくなってるだろうとか、そういう思いで１ヶ月過ぎちゃった。仕事もあるし、遊びもあるし、他にやることがたくさんあって、すぐ経っちゃうんですよね、時間って……」

突きつけられた「がん宣告」を信じられなかった千恵さんと貞士さんは、その後、別のがん専門の検査病院で再度検査を受けた。「なにかの間違いだったらいいのに」というかすかな希望を抱いていた。

そして、ちょうどその頃、千恵さんは運命の人と出会った。

太郎と千恵

毎年12月、情報通信の関連企業が一堂に参加する大規模な展示会「ｉエキスポ」が東京で開かれる。それぞれの企業が新製品や最新技術を披露するこの展示会には多くのコンパニオンが花を添える。２００５年12月。千恵さんはこの展示会の会場でコンパニオンとして仕事をしていた。

華やかな仕事だが、コンパニオンにとって大事なのは容姿だけではない。こうした展示会では商品説明をきちんと行えるかどうかが重要な要素となるため、参加企業の多くは選考を行ってコンパニオンを採用する。千恵さんはあるＩＴソフトウェア会社に応募した１００人ほどの候補者の中から、最終的に選ばれた8人の1人に入った。そしてそのＩＴ企業の社員として会場に来ていたスタッフの中に赤須太郎さんがいた。

赤と白のコスチュームを着て笑顔を振りまく千恵さんの姿を一目見て、太郎さんはすぐに好意を抱いた。その時の思いを太郎さんは照れながらこう振り返る。

「千恵は一番目立ってました。ハキハキして、ああいい子だなぁと思いましたね」

千恵さんを横目で気にしながら太郎さんはイベント会場での仕事を続けた。しかし恥ずかしがり屋の太郎さんはなかなか話しかけることができず、交わす言葉は「おはようございます」と「お疲れさまです」の挨拶だけ。今日は話しかけよう、明日は話しかけよう、と思っているうちに3日間の展示会はあっという間に終わってしまった。打ち上げの食事会が開かれたものの、千恵さんは他の男性社員と楽しそうに話を続け、太郎さんはその姿を遠目に見るだけだった。時間が過ぎ、食事会も終わりの時間が迫ってきた。太郎さんは先輩社員に「あの子かわいいですよね」と話をした。すると気を利かせた先輩が太郎さんを千恵さんの横の席まで引っ張っていってくれた。

「お疲れさま。赤須と言います」

「長島です。お疲れさまでした」

お酒が入って少し赤くなった顔で千恵さんはにっこりと笑った。ようやく話ができたが、食事会はすぐにお開きの時間となった。「今度みんなで飲みに行こうよ」「そうですね」。そう言って二人は電話番号とメールアドレスを交換した。

2005年12月9日。それが二人の最初の会話だった。


太郎さんは千恵さんと携帯電話のメールで連絡を取り始めた。そして何度かやりとりを交わした後、「付き合っている人はいるの?」とさりげなく聞いてみた。千恵さんからの返信に書かれていたのは「いないよ」の文字。太郎さんは思い切って「クリスマスは何をしてるの?」と聞いてみた。しかし千恵さんからは「友達と中華街に行くの。ごめんね」という返事が返ってきた。「年末年始は何してるかな?」とも聞いてみたが「実家に帰る」との返事だった。なんだかうまくいかないな。そう思い始めた時、太郎さんに千恵さんから一通のメールが届いた。「今日なら遊べるよ」。２００６年が明けて間もない1月4日のことだった。

太郎さんはすぐに自宅のある埼玉県から待ち合わせ場所の横浜まで車を飛ばした。待ち合わせ場所に現れた千恵さんはニット帽をかぶり、襟にファーがあしらわれたカーキ色のショートコートとデニムのミニスカートを着て、こげ茶色のロングブーツを履いていた。安室奈美恵の大ファンだという千恵さんは、髪はきれいなストレート、ファッションもミニスカートやブーツを好んで身につけていた。

車の助手席に千恵さんを乗せた太郎さんは胸の高鳴りを感じた。お台場に向けて走り出した時、外にはきれいな冬の夕焼けが広がっていた。

最初は何気ない会話だった。

「音楽とか何聞くの?」。太郎さんが聞いた。

「よく聞くのはヒップホップかな。赤須さんは?」。今度は千恵さんが聞いた。

「いろいろ聞くけど、最近はレゲエにはまってる」

「レゲエ?」

「聞いてみる?」。太郎さんはＣＤをかけた。

「この曲知ってる。私も好きだな」。そう言って千恵さんは音楽に合わせて小さく腕を動かしながらリズムを取った。太郎さんはつられるように片腕をハンドルから離し、踊るまねをした。それを見た千恵さんはにっこりと笑って一緒に踊った。その瞬間、「この子とは気が合うかも」と太郎さんは感じた。少し音楽のボリュームを上げ、夕日が差し込む車内で二人笑いながら踊った。

車の中で二人はいろんな話をした。好きな食べ物のこと、通った高校のこと、今の仕事のこと、そして家族のこと。千恵さんはお父さんがすごく年が離れているのだと言った。そしてお母さんはずっと前に亡くなったと話した。自分は一人っ子だけど実家には犬が二匹と猫が一匹いてお父さんと一緒に暮らしていると説明した。太郎さんは自分の家にも昔シーズー犬がいて、すごくかわいがっていたと話し、4つ下の妹とは仲がよいことや、今の会社には転職したばかりで以前はシステムエンジニアをしていたことなどを話した。とりとめもない会話だったが、太郎さんはどんな話題でも千恵さんとの話が楽しく感じられた。

話に夢中になるうちに外はすっかり暗くなっていた。そして、太郎さんはいつの間にか道に迷っていることに気づいた。知らない道をぐるぐると彷徨《さまよ》い、千恵さんが「ここどこ?」と笑った。その時だった。偶然、きれいな夜景が広がる場所に出た。

そこは晴海埠頭だった。ライトアップされたレインボーブリッジの照明やお台場のビルの明かりが東京港の水面に反射し、より一層きらびやかな輝きを放っていた。夜空にはたくさんの星が瞬き、遠くには東京タワーがオレンジ色の光をたたえていた。目前に広がる光景に千恵さんは「すごーい」と大きな声を出して喜んだ。

二人は夜景を眺めながら話を続けた。話しても話しても次々に話したいことが出てきた。楽しい時間は永遠に終わらないように思えた。二人はいつの間にかお互いを「千恵」「太郎」と呼び合っていた。

太郎さんはこの埠頭で千恵さんのひょうきんな一面も知ることになった。すっかり暗くなった埠頭の脇の公園でかくれんぼのようなことをしてふざけ合っているうちに、どちらからともなく「なんだか忍者みたいだね。忍者の修行みたいだ」と言い始めた。

そして埠頭のコンクリートブロックの上を歩いたり、階段を3段飛びで駆け上がったりするたびに、二人は「修行だ!」と言ってふざけ合った。イベント会場でコスチュームに身を包んでいた千恵さんはクールな感じにも見えたが、「修行!」と言って笑う千恵さんはとてもチャーミングに思えた。

ひとしきりはしゃいだ後、二人はベンチに座り、再び時間を忘れていろんな話をした。日付が変わり他のカップルが姿を消しても、二人はずっと肩を寄せ合っていた。


そして太郎さんは、心に抱いた思いをストレートに千恵さんに伝えた。

「俺は千恵と、友達としてダラダラ遊ぶつもりはない。付き合おうよ」


その時、それまで笑顔だった千恵さんの表情が突然曇ったように見えた。

「ちょっと待ってもらえないかな……」

太郎さんは一瞬意味を理解できなかった。「待つ」とは何を待てばいいのだろうか。そして千恵さんの様子が急に変わったことに戸惑いを隠せなかった。太郎さんは黙ったままの千恵さんに聞いた。

「いつまで待てばいいのかな?」

「1月の終わり頃にはわかるから……」

「じゃあ、もし付き合えるなら1月の終わりには旅行に行こう。もし付き合えなかったら中途半端な関係はよくないよね」

思い詰めた表情の千恵さんを見て、太郎さんはそう言葉を継ぐのが精一杯だった。

この時、千恵さんは左胸にできたしこりの検査結果を待っていた。すでに最初の病院では「がん宣告」を受けていた。太郎さんの言葉に「はい」と答えてしまえば自分がこれから歩むかもしれないがんとの闘いに、太郎さんを巻き込んでしまう。千恵さんはそう思っていた。

告白

最初のデートからおよそ3週間後。千恵さんが太郎さんに「期限」として示した「1月の終わり」はもうあと数日に迫っていた。

喫茶店でコーヒーを飲みながら太郎さんは聞いた。

「旅行の予約もあるし、二人の関係をちゃんとしたいんだけど、まだ待たなくちゃいけないのかな」

するとと、千恵さんは突然激しく泣き始めた。

「どうしたの？」

驚いた太郎さんが声をかけたが、千恵さんは顔をハンカチで覆ったまま、肩をふるわせながら泣き続けた。太郎さんはかける言葉が見つからず、どうしていいかわからないまま千恵さんの姿をじっと見ていた。

すると、しばらくして涙を拭いた千恵さんは太郎さんにこう切り出した。

「太郎ちゃん。私、付き合えない理由があるの……」

太郎さんはどきっとした。少しの間沈黙が流れ、千恵さんは言葉を続けた。

「実は私……乳がんなの……」


まったく予期していなかった答えだった。突然の告白に太郎さんは驚きを隠せなかった。どう返せばいいのかわからず、思わず黙り込んでしまった。

言葉に詰まった太郎さんを前に、千恵さんは大粒の涙を流しながら自分が置かれた状況を説明していった。

「胸にしこりができたの。実はお母さんもがんで亡くなってて、私にもその可能性があると思う。治らない可能性もゼロではないの。私はたとえがんでも、他の人と同じことができるのだったら幸せでいられる。でも太郎と付き合ったら太郎につらい思いをさせると思う」

「全然そんなの気にしなくていいよ。治るように俺も協力するから」と太郎さんは言った。

「でもね、お母さんを見てたからわかるけど、抗がん剤治療をしたら髪は抜けるし、そんなふうになった私の姿をちゃんと見て、本気でそういうこと言える？」

「俺は外見だけで千恵のことをよいと思っているわけじゃないんだから。千恵がそのままの中身でいてくれるんだったら付き合ってほしいと思ってる」

千恵さんは再び涙を流した。そして小さな声で聞いた。「本当にいいの？」

「もちろん。まずは病気を治そう。でも病気にばかりとらわれていると、楽しい生活を犠牲にしなくちゃいけない。それはやめようね。楽しい生活をするために病気と闘っていくんだから、二人の楽しい時間は大切にしようね」

太郎さんは千恵さんを励ますように明るい口調で言った。

太郎さんの言葉に、千恵さんの涙は長い時間止まらなかった。

二人のがんとの闘いはこの日から始まった。

千恵さんが太郎さんにすべてを打ち明けたその夜、二人はそのまま旅行に出かけた。レンタカーを借りて長野県の軽井沢に行き、スノーボードをした。それまで滑れなかった千恵さんは、太郎さんの手ほどきで滑れるようになった。陶芸体験ができる店を見つけ、最初の旅行の思い出にと、カップを二つ作った。太郎さんのカメラに収められた写真には、明るい表情の千恵さんが写っている。がん宣

告を受けた女性にはとても見えない素敵な笑顔がそこにはあった。

闘病開始

旅行から戻り、千恵さんは国立がんセンター中央病院に向かった。最初に検査を受けた病院では「即手術」と言われた。乳房を取らずにすむ方法、取るとしてもできるかぎり傷が小さい方法はないのか。千恵さんは本やインターネットでさまざまな情報を集め、検討した結果、国立がんセンターでも診察を受けてみることにした。

最初の検査で撮られたCTスキャンの画像には、千恵さんの左胸に雲のような白い影が写っているのがはっきりと見て取れた。がんであることは間違いないと告げられ、再び肩を落としたが、より重要だったのはその進行具合だった。

乳がんの進行は0期からⅣ期までに分類される。最も早期の0期では10年生存率(診断から10年後に生きている割合)は90%を超えるが、最も進んだⅣ期ではその数

乳がんの10年生存率（1990年治療開始）

（日本乳癌学会「全国乳がん患者登録調査報告第29号」より）

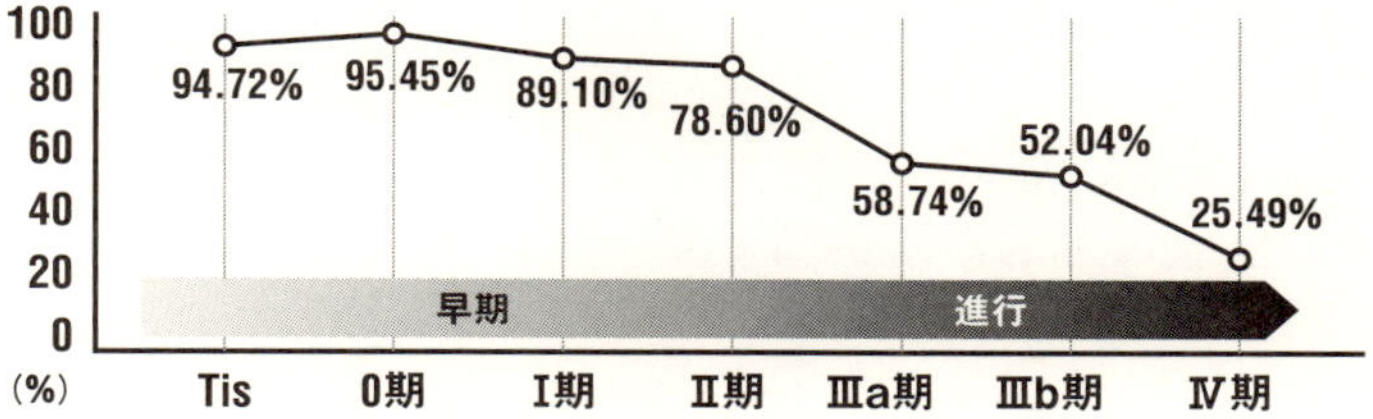

Tis ： 乳管内にとどまるがん。 非浸潤がん（超早期）
0期 ： しこりや画像診断での異常な影を認めないもの
Ⅰ期 ： 2cm 以下のしこりで、リンパ節への転移がないと思われるもの
Ⅱ期 ： 2cm を超える 5cm 以下のしこりがある、
もしくはリンパ節への転移が疑われるもの
Ⅲa期 ： しこりが 5cm を超えるもの
Ⅲb期 ： しこりが皮膚などに及んでいるもの
Ⅳ期 ： しこりの大きさを問わず他の臓器に転移が見られるもの

値は大幅に下がる。早期発見の重要性が叫ばれるのもこのためだ。

CT画像に映った千恵さんの左胸の影は幅が7・3センチだったが、若い女性の場合乳腺が白く映り、実際のしこりよりも広い範囲が映し出されてしまう。リンパ節への転移がなかったことなどから、医師は進行段階をⅡ期と診断した。そして、まず抗がん剤でがんを叩き、病巣を小さくしてから手術をする、という方法を提案した。

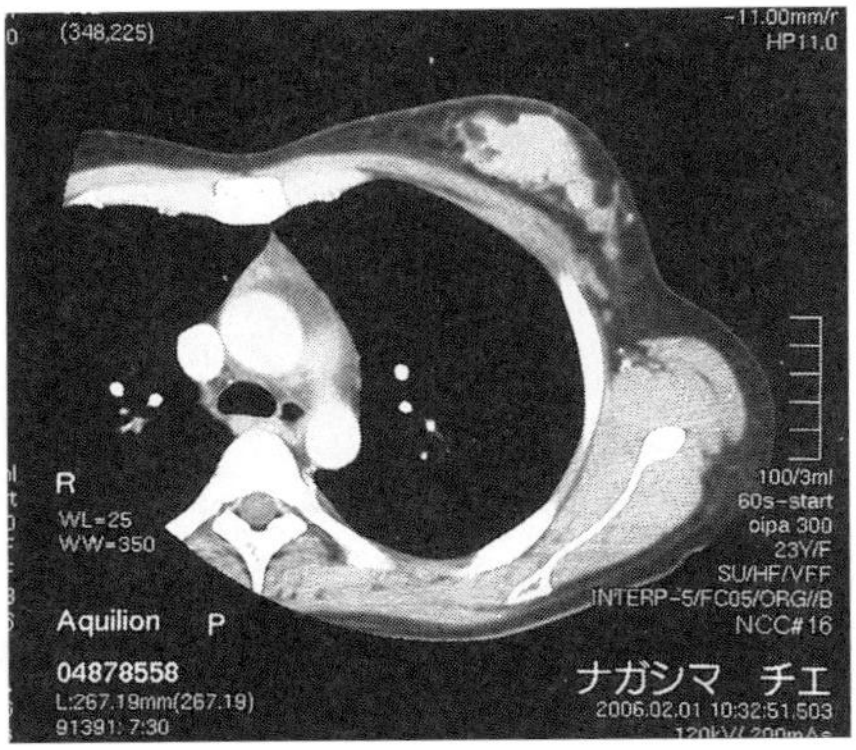

この時、千恵さんには叔母の加代子さんが付き添っていた。9年前に亡くなった千恵さんの母・雅代さんの妹で、千恵さんを自分の娘のようにかわいがっていた。

乳がんならなんとかなる、と思っていた加代子さんだが、医師に言われた説明が強く頭に残った。

「この年代で発症したがんは、乳がんというとらえ方をしないでください。全身の病だと思ってくださいね」

「治るがん」のイメージが強い乳がんだが、20代から30代前半で罹患した場合、がんの進行が非常に早く、手術を行っても再発の可能性が非常に高いといわれている。「若年性乳がん」と称されるこの年代の乳がんは「治るがん」とは決して言いきれない病気なのだ。実際にこの年代で乳がんになる人は極めて少ないが、それでも国立がんセンターの推計（2001年）では、全国で一年間に20代の女性315人、30代前半の女性825人が新たに乳がんと診断された。

医師が千恵さんに説明した「全身の病としてとらえてください」との言葉は、再発の可能性、他臓器への転移の可能性を暗に示唆したものだった。

「だけど頑張っていけば医学はどんどん進歩するから、きっとよい薬ができてくるし、乳房の再建技術もどんどん上がっていくから心配しないで頑張ろうね」と加代子さんは千恵さんを励ました。

千恵さんは国立がんセンターで治療を始めることを決めた。

抗がん剤での治療を決めた千恵さんだったが、治療方法についてはずっと悩んでいた。最初の病院で医師に言われた言葉が頭に残っていたからだ。しかし千恵さんは太郎さんに「やっぱり女の子だし、胸を取るのは後にしたいな……。できれば一番最後にしたいな……」と話していた。

乳がんの専門書を何冊も買い、千恵さんはあらゆる手段を模索していた。加代子さんにはこんなことも言った。「手術しないと治らないなら手術する。でも、結婚する時にはちゃんと乳房の再建手術を受けてからウェディングドレス着たいな。やっぱり胸の開いたドレスを着たいしね……」と。

抗がん剤

がんは正常な細胞が突然変異し、異常に増殖して周囲の組織を破壊する病気だ。進行すれば臓器を破壊したり出血を引き起こしたりして人を死に追いやる。日本では年間50万人以上の人が新たにがんになり、30万人もの患者が命を落としている。

そのがんに対する治療として、手術と並ぶ大きな柱の一つが抗がん剤だ。抗がん剤は増殖し続けるがん細胞を殺したり、細胞分裂を止めたりする。しかし、がん細胞を叩くと同時に、どうしても正常な細胞に大きなダメージを与えてしまう。そのため、嘔吐、脱毛、下痢、便秘、食欲不振、白血球の減少など、さまざまな副作用を引き起こす。副作用を抑える治療は進歩してきていて、外来通院での治療も可能になってきたが、それでもなお副作用でつらい思いをする患者は多い。

2006年2月。千恵さんは抗がん剤による治療を始めた。2種類の抗がん剤が提示され、まずは一つめの抗がん剤から始めた。「絶対にがんをやっつけてほしい」と願いながら、点滴で時間をかけて体内に入れていった。

副作用は千恵さんにも例外なく襲ってきた。

まずは吐き気だった。交際を始めて間もない頃から太郎さんは千恵さんのマンションで一緒に暮らすようになっていた。千恵さんは太郎さんの前では平気なふりをしていたが、夜中寝ている間そっとベッドを抜け出してはトイレで嘔吐を繰り返していた。時折太郎さんが目を覚まし「大丈夫?」と声をかけたが、そのたびに「大丈夫、大丈夫。全然平気だから」と太郎さんを安心させるように笑顔で答えていた。

千恵さんはコンパニオンとしての現場の仕事をあきらめたものの、派遣事務所の上司・江川さんにお願いし、内勤業務を続けさせてもらっていた。千恵さんは「大丈夫です」と明るく振る舞っていたが、苦しさに耐えきれずに隠れて涙を流していることに江川さんは気づいていた。

吐き気の次に襲ってきたのは千恵さんが一番恐れていたことだった。闘病を始めてしばらく経った日の夜だった。お風呂に入っていた千恵さんが突然泣きながらバスルームから出てきた。何事かと思った太郎さんだったが、頭を押さえながら号泣する千恵さんの様子を見てすぐに事態を理解した。抗がん剤の影響で髪の毛が抜け落ちたのだ。その瞬間を千恵さんは「ごそっと抜けた」と表現した。そして長い時間涙を流し続けた。太郎さんは「この治療で絶対治るから。今だけ我慢しよう」と千恵さんを励ましたが、千恵さんの涙はしばらく止まることはなかった。

翌日、ずっと頑張って続けていた仕事を初めて休んだ。上司の江川さんには「覚悟をしていたけど、ショックが大きすぎて……」と電話があった。千恵さんの髪の毛は次々に抜けていった。頭を触るたびに自慢のストレートヘアーが床に散らばった。

しかし千恵さんが落ち込んでいたのはわずか1日だった。

「かつらを買いに行こう!」。そう言って千恵さんが向かったのはかつらの専門店ではなく、いつもショッピングを楽しんでいた渋谷のデパート109だった。買い物に付き合った友人の怜子さんに千恵さんは「かわいいやつしかかぶらないから」と宣言し、おしゃれなエクステンションやウィッグが置いてある地下の店に向かった。茶髪のウェーブがかかったかつらと少しメッシュが入ったかつら、そしてストレートヘアーのかつらの3種類を購入。それからというもの千恵さんは太郎さんの前では「明日はどのかつらをつけていこうかなー」と明るく振る舞い、会社に行けば「今日はかわいい帽子をかぶってきました」と笑顔で話した。抗がん剤の投与が進むうちに、髪の毛だけでなく、眉毛やまつげも抜け落ちたが、すぐにメイクやつけまつげで目立たないようにし、人前で落ち込んだ様子は一切見せなかった。

千恵さんが副作用のつらさを周囲に見せなかったのは、本人の前向きな性格のおかげだけではなかった。抗がん剤の効果が次第に現れてきたのだ。

「加代ちゃん、どんどん影が小さくなってるよ」。千恵さんは叔母の加代子さんに弾むような声で電話をかけた。太郎さんの前では「このままうまくいけばいいな」と何度も何度も繰り返した。がんとの闘いに勝てるという実感が湧き始めていた。

休日が来るたび、太郎さんと千恵さんはいろいろな所に出かけた。「いいかつらを売っている店がある」と聞けば茨城に行き、「岩盤浴ががんに効く」と聞けば福島の温泉にも行った。「本場の松阪牛が食べたい」という千恵さんの希望を叶えるため、太郎さんがゴールデンウィークに三重県の松阪まで車を走らせたこともあった。そして行く先々で二人はたくさんの写真を撮った。二人で腕を組んでにっこりとほほえむ写真。お互いの笑顔を撮り合った写真。最初のうち千恵さんはかつらの上に帽子をかぶっていたが、そのうち帽子も

脱ぎ捨てた。二人の幸せそうな笑顔を写し出したスナップからは、深刻な事態をうかがい知ることはできない。もちろんこの時、千恵さんも太郎さんも乳がんを克服できると信じていた。

乳房切除

懸命に副作用に耐えながらがんとの闘いを続けていた千恵さんだったが、抗がん剤の効果を喜んでいられたのはわずかな時間だった。最初の抗がん剤が次第に効かなくなり、断念して2種類目の抗がん剤を投与。これもいったんは効果を発揮したが、しばらくするとまたがんは大きくなり始めた。

7月、リンパ節に転移している可能性が出てきた。主治医は千恵さんに告げた。

「もう手術しかないですね」

手術とは左乳房の切除を意味していた。

前々からその可能性は十分に考えられたとはいえ、実際に手術をすると告げられた千恵さんは深く落ち込んだ。乳房を失う。それは23歳の女性にとって過酷すぎる試練だった。千恵さんは太郎さんにたびたびこんなことを言うようになった。

「太郎はかわいそうだ。おっぱいのない彼女でいいの？　別に千恵じゃなくても他にたくさんいるじゃない。なんで千恵を選ぶの？」

千恵さんの気持ちを思うとつらかった。しかし太郎さんははっきりと千恵さんに伝えた。

「別に胸がなくなってもいいよ。でもそれが原因で千恵の性格が変わるのが嫌だ。胸がなくても、髪がなくても、千恵が千恵でいるならそれでいい」

後に太郎さんは記者にこう話した。

「胸がなくなっても今までと変らない生活ができる、ということを分かってもらうための情報はあげられるけど、それを受け入れて前向きな考え方にするのは本人しかできない。だからまわりは単なる手助けしかできません。決断する時は相当つらかったと思います。もしも胸を取るのだけは絶対に嫌だと言われてしまうと、もう方法がなかったので、決断してくれて本当によかったと思います」

叔母の加代子さんは、千恵さんの心境をこう代弁した。

「きっと千恵は『生きていたい。ここで負けられない』と思ったんだと思う。いっぱい夢や希望を持ってたから、『がんを取ればどんどん前に進んでいける』って思っていたんだと思います」

千恵さんは手術を受けることを決意した。

その時の気持ちを千恵さんはこうブログに書き残している。

生きてますよ　　　2006年8月1日

久々すぎて書くのもためらうほどのミクシィ。
なんと半年以上放置していました。
それは年明け早々人生を左右する出来事があったから。。。
2006年8月、ながしまは休暇をいただきます。
色々やってきたけれど、1ヶ月間何もしないのは初めて。
悪いものをすべて取り払って、
9月からはリニューアルパンダです。
この数ヶ月、何度も何度も折れそうになったけど
辛い事と同じ分だけあったかいものももらった。
もしかしたらこれからもっと辛い事があるかもしれない。
でもね、私にはそれをカバーしてくれるほどの
幸せも感じることができるんだな。

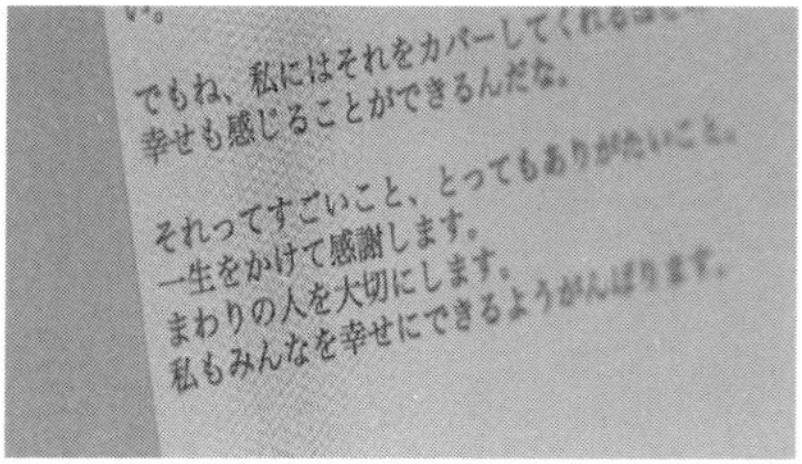
でもね、私にはそれをカバーしてくれる
幸せも感じることができるんだな。
それってすごいこと、とってもありがたいこと。
一生をかけて感謝します。
まわりの人を大切にします。
私もみんなを幸せにできるようがんばります。

それってすごいこと、とってもありがたいこと。

一生をかけて感謝します。

まわりの人を大切にします。

私もみんなを幸せにできるようがんばります。


にゃはーん。


8月10日。千恵さんは左乳房を全摘出した。

千恵さんは愚痴ることなく、悲観することもなく、前を向いて歩み始めた。しばらくの間は腕が上がらなかったが懸命にリハビリを続け、9月半ばにはコンパニオン事務所での仕事に復帰した。上司の江川さんが「無理しないでいいからね」とたびたび声をかけたが、千恵さんは張り切って働き続けた。

江川さんは話す。

「がんと闘いながら仕事を頑張っている人はたくさんいるじゃないですか。だから自分もそれができると思っていたようです。他の人ができることを自分ができないのは嫌だったみたいですよ」

10月には放射線治療が始まった。特殊なインクで皮膚に印をつけ、数分間放射線をあてる。しばらく続けていくうちに胸にはやけどのような跡ができた。千恵さんは胸の開いたカットソーを着るのが好きだったが、肌に残るやけどのような跡とインクの跡を見て、「胸の開いた服が着られないよ。嫌だな」と不平を言ったこともあった。しかし、「今だけだよ。放射線治療が終わったら治るから」と太郎さんが慰めると、千恵さんは「そうだよね」と笑顔を取り戻した。

２００６年10月26日。千恵さんは24歳の誕生日を迎えた。この頃、放射線治療もほぼ終え、検診でも異常はまったく見つからなかった。ハッピーバースデーと書かれたデザートを前に、千恵さんは完璧な笑顔でピースサインを作った。

もう乳がんを克服したと思っていた。

父と母と

神奈川県三浦市。海からの風が心地よいこの町で、千恵さんは１９８２年10月26日に生まれた。３２００グラムの元気な女の子の誕生を父・貞士さんはまるで昨日のように覚えている。

「夜８時頃だったかな。帝王切開の手術が終わって、目の前をきゃっきゃと小さい声をあげる赤ちゃんが通ったんです。それが千恵だった。生まれたばかりの赤ちゃんが並んでいたんだけど、千恵が一番色が白いんだよね。なんだか器量もよさそうだな、なんて思ったりして」。そこまで話したところで、貞士さんは「親ばかだよね。へへへ」と照れた。当時貞士さんは45歳、母・雅代さんは38歳。授かった小さな命の誕生を「とにかく嬉しかった」と振り返る。

「千恵」という名前は地元の寺の住職につけてもらった。「千の恵みを、という意味だから。きっとよい子に育つだろうと本当に期待していましたね」。貞士さんは目を細めた。

貞士さんは民謡と三味線の師匠をしている。会社員だった36歳の時、友人の誘いで見に行った津軽三味線の発表会で衝撃を受けたという貞士さんは、「俺にもできるかな」と見よう見まねで三味線を弾き始めた。すぐにのめり込み、独学で稽古を重ねているうちに腕が上がり、評判を聞いた人から舞台などへの出演依頼が来るようになった。勤務していた会社を辞め、民謡と三味線で生計を立てていくことを決めた貞士さんの元には弟子が一人また一人とやって来て、ついには１００人を超えるまでになった。そしてその弟子の一人に後に妻となる雅代さんがいた。43歳で結婚。２年後に生まれたのが千恵さんだった。

自宅を出て狭い路地を1分も歩くと、三浦海岸の砂浜に出る。夏になると、千恵さんは毎日のように海へ行き、時間を忘れて暗くなるまで泳いでいたという。

「幼稚園の頃はお母さんに抱っこされて甘えていたんだけど、大きくなるにつれて活発になってね。海が好きで好きで暗くなっても帰らないんだよ。もう帰ろうよ、と言ってもずっと泳いでてね」

そう話す貞士さんには、スナップ写真のように鮮明に心に残っている光景があった。

「その頃は犬を飼っていて、散歩の時には浜辺で犬を放すんですよ。犬と一緒に千恵と追いかけっこして波打ち際を喜んで走り回っていたのを思い出します。この海辺は最高の思い出です。千恵とお母さんが元気だった頃は……最高の家族だった……。本当に幸せな家族だったし。このままうまくいけばいいなと思ったんだけどね」。

思い出の浜辺で海を見つめながら、貞士さんは寂しそうに話した。本当に幸せな家族だったのだ。

しかし、家族に試練が訪れた。母親の雅代さんが突然がんと診断されたのは、三浦海岸からの風が暖かくなり始めたある春の日だった。

病名は卵巣がんだった。雅代さんは当時47歳、千恵さんは小学4年生だった。

腰に強い痛みを覚えた雅代さんはそれほど深刻な思いも抱かず病院に向かった。しかし最初の検査の後で医師からはつらい事実が告げられた。まもなく摘出手術が行われ、家族が呼ばれた。切除した卵巣についての説明がひとしきり行われた後、医師は「もって年内でしょう」と家族に言った。雅代さんは家族に「医師から言われたことは絶対に教えてね。千恵を守っていかなくちゃいけないんだから」と強く言ったが、家族は医師が告げた「見通し」を雅代さんに伝えることはできなかった。

しかし奇跡が起きた。当時新たに認可された抗がん剤で治療を行ったところ、雅代さんのがん細胞はたちまち小さくなっていったのだ。雅代さんは退院し、家族三人での生活をしながら通院治療を続ける日々が始まった。そして医師が告げた「余命期限」はいつの間にか過去のものになった。

貞士さんはしばらくの間千恵さんには母の病ががんであることを告げなかった。「ちょっとどこか悪いから入院したけど治るから、と言い聞かせてね。まだ子供だったし、がんというものがどんなものかわかってなかったんだと思うんだよね。すぐに退院できたし、千恵も大したことないと思ったんじゃないかな」と貞士さんは話す。

雅代さんが通院での治療を続ける間、家族は機会を見つけては三人で旅行に出かけた。元気なうちにいろんな所に連れていってあげたい、という貞士さんの思いがあった。抗がん剤が効いたとはいえ、それでもがんはかなり進行した状態だった。ずっと元気なままではいられないということを貞士さんはよくわかっていた。

奥飛騨、沖縄、岩手の花巻温泉。思い出の写真にはあどけない表情の千恵さんとともに、髪の毛が抜けた頭部をバンダナで隠した雅代さんの姿が写っている。写真をアルバムに貼るのは雅代さんの役目だった。几帳面な雅代さんが整理したアルバムには、飛行機のチケットから博物館の入場券、宿泊した旅館の明細までが丁寧に貼られ、どんな旅行だったのか手に取るように思い出すことができる。雅代さんが家族三人の思い出を心に深く刻み込もうとしていたことは、そのアルバムを見ただけでも伝わってくる。

時折、雅代さんは入院して抗がん剤の治療を受けた。その間は父と娘二人きりの生活となった。当時の写真には台所で料理をする笑顔の千恵さんや玄関で掃き掃除をする千恵さんの姿が写っている。時には笑い話もあったという。

「千恵は自分がやりたい家事はやるんだけど、苦手なものは俺に任せるんだよね。例えば洗濯する時、『洗濯機を回すのは私、洗った洗濯ものを干すのはお父さんね』って言うんですよ。洗濯機を回すのって粉石けんを入れてボタンを押すだけでしょう。『なんだよ、面倒なことばかり俺にやらせて』と言ったこともありましたよ」

——それでも、と貞士さんは続けた。

「千恵は本当に優しい子でね。お父さんを大事にしてくれている、という感じで。すごくよい子でした。自慢の子でしたよ」

お見舞いに行くのも、遊びに行くのもお父さんと一緒だった。流れるプールに二人で行った時には、お父さんと一緒に男子更衣室で長い髪の毛を乾かした。三味線の出稽古で貞士さんが夜遅くまで家に帰れず、千恵さんが家にひとりぼっちということもあった。しかし、千恵さんは決して文句やわがままを言わなかった。

母の死

貞士さんと千恵さんに励まされながら闘病を続けていた雅代さんだったが、時が経つにつれ病状はしだいに悪くなっていった。「背中が痛い、痛い」と言い始めたのは自宅で過ごしていた時だった。

病院に連れて行ったものの激しい痛みは続いた。貞士さんはベッドの上でもだえ苦しむ妻の背中を懸命にさすり続けながら、なんとかこの痛みが引いてほしいと心の中で祈った。しかし貞士さんの祈りは通じず、痛みはむしろ日に日にひどさを増した。できることは背中をさすってあげることだけ。貞士さんは無力感を感じた。

――あの痛みをなんとか取れないものか、貞士さんは主治医に訴えた。

すると医師はこう答えた。

「モルヒネを点滴すれば痛みは治まります。しかし口が重くなって意識が朦朧《もうろう》とするかもしれません」

貞士さんはその時の思いをこう振り返る。「助かる命であれば『よくなっているんだから我慢しろ』とも言えるんだけど、とてもそんな状態じゃなかった。苦しむよりも少しでも楽にしてあげたほうがいいんじゃないかと。だから、見るに見かねて先生に『お願いします』と言ったんです。心の中では、もう頑張らなくていいよ、という気持ちでね……」

モルヒネの点滴を決断する前、貞士さんは千恵さんにも意見を聞いたという。

「千恵に、あんなにお母さんが苦しんでるんだけどどうする？　モルヒネを打てば楽になるらしいけれど、口がきけなくなるらしいよと聞くと、『しょうがないね、楽にしてあげたいね』というようなことを千恵は言いました」

医師に家族の決断を伝え、モルヒネを点滴すると、それまでの痛みが嘘だったかのように雅代さんは静かになった。しかし医師が告げたとおりほとんど口がきけない状態になり、意識も朦朧とするようになった。

雅代さんが亡くなったのはそれから1週間も経たない頃だった。モルヒネによって痛みから解放された雅代さんは貞士さんが見守る前で静かに息を引き取った。がん宣告から6年後、53歳の時だった。千恵さんはこの時中学3年生。その時の千恵さんの表情を貞士さんははっきりと覚えている。

「泣きじゃくるかと思ったけど、母親が目の前で亡くなっても涙ひとつ流さずじっと見ていたんですよ。ずっと怖そうに見ていたね。強い子なのか、どうなのか。私にも理解できなかったんだけれど。もし自分がこうなったらどうなんだろう、と感じていたのかなぁとも思ってみたり。いろんなふうに考えさせられたね」

亡くなる前、雅代さんは「千恵が不憫《ふびん》で不憫で……」と娘をいつも心配していた。しかし母の死後も千恵さんはつらさを見せずまっすぐに育った。高校ではテニス部の練習にあけくれ、家に帰れば炊事洗濯などをこなし、その傍ら民謡や三味線さらにはピアノの練習も続けた。そんな娘の姿に貞士さんはいつも感心していた。

「私も仕事で帰りが遅いし、母親を亡くしたショックも大きいし、グレたりする子もいるんでしょうけど、一切そういうことはなかったからね。反抗期もまったくなくて、胸をなでおろしたんだよね。勉強もいい成績で本当に手がかからないよい子だったし、育てやすい子だったなぁ。我慢強かったよね。あの子は自慢の子で、私の勲章でした」

わずか数年後、その自慢の娘の背中をさすらなくてはいけない運命にあるとは、この時貞士さんには想像すらできなかった。

第2章

再発

乳がんの治療は、手術がゴールではない。あくまでも折り返し地点。人によっては出発地点と言うだろう。手術で病巣を取り除いた後も、放射線治療や抗がん剤治療、ホルモン療法などが行われる。わずかに残っているかもしれないがん細胞を叩き、再発や転移を防ぐためだ。再発の恐怖に怯《おび》えながら検診を続け、5年または10年経ってようやく「乳がんが治った」と言うことができる。

千恵さんの放射線治療も1ヶ月あまりの間続いた。胸にできるやけどのような跡と特殊なインクの印を最初は気にしていたが、タートルネックの服を着てそれを隠し、通院治療を続けながら手術の前と同じように仕事と遊びにいそしんでいた。ようやく放射線治療が終了したのは２００６年の秋も深まった頃。そしてこの頃、千恵さんは一つの目標を立てた。

目標とは、システムエンジニア（企業の情報システムなどを開発するコンピュータープログラマー）になるというものだった。それを聞いた太郎さんは冗談だろうと思っていたが、千恵さんはシステムエンジニアの養成を行う会社を自分で見つけてきた。そこでは2ヶ月間、月曜日から土曜日の早朝から夜まで研修が行われ、日曜日も課題をこなさなければならないほど過酷なカリキュラムが組まれていた。途中一度でも遅刻すると即解雇、という厳しいルールだったが、2ヶ月の研修で優秀な成績を残した人はシステムエンジニアとして企業に派遣されることになっていた。

千恵さんの姿は太郎さんを驚かせた。

「朝の5時に起きて7時頃会社に着くように出るんですけど、終わるのは夜の9時頃。帰ってきてからも課題をこなさなければならないんですよ。誰でも入れるんですが、ふるいにかけられて最終的にはほとんど辞めていきます。その話を聞いた瞬間に、僕には無理だ、と思いました。だけど千恵は分厚い本を5冊くらい読んで、日曜日も勉強していました。やると決めたら本当にやる子だなと思いました」

千恵さんは友人たちに「ごめん、12月と1月は遊べない」と宣言し、連日プログラミングの勉強に励んだ。そして、過酷な研修をみごと乗り越え、２００７年2月1日、ある企業にシステムエンジニアとして採用された。

つい先日までインターネットぐらいしかできなかった女性が、コンピューターのシステムを作る仕事をしている。千恵さんの姿を本当に信じられない思いで見ていた太郎さんが「千恵はすごいね」と声をかけると、千恵さんは誇らしげにこう言った。

「人間やれば何でもできるんだよ」

思えば千恵さんはずっと全力で走り続けてきた。ちょうど1年前に乳がんの治療を始めた。抗がん剤の副作用に苦しみ、夏には乳房を失った。秋は放射線治療で肌がやけどのようになり、冬はシステムエンジニアになるための苦しい研修が続いた。がむしゃらに走り続けてようやく実現した社会復帰だった。

千恵さんは仕事にすぐに夢中になった。抗がん剤の影響で抜けていた髪は生えそろい、かつらをつけずに生活ができるようになった。休みの日には太郎さんとデートをし、友人たちと食事や買い物を楽しんだ。24歳の女性としてごく普通の生活。必死の努力で手に入れたその幸せをかみしめながら千恵さんは毎日を送っていた。

わずか2ヶ月前のこの日々を千恵さんは病室のベッドの上でこう振り返った。

——Q　仕事に復帰した時はどんな思いでした？

「完全に病気のことは忘れてましたね。あー新しい人生だーと思って。3年後、5年後の自分とかをイメージして。新卒で就職したみたいな感じでしたね」

——Q　その時思った3年後、5年後の自分ってどんなイメージだったんですか？

「結婚してました。仕事をしながら、結婚して。子供もいるってイメージでした」

はにかみながら千恵さんはそう答えた。

実は太郎さんも千恵さんの「将来のイメージ」を何度か聞いたことがあった。

「千恵は子供が欲しいとずっと言ってました。女の子と男の子が一人ずつ欲しいって。千恵は一人っ子だから、きょうだい二人は欲しいなって。そして犬がいて一軒家がいいな……とか。想像の世界ですけどそんな話をしていました」

そして太郎さんはそのイメージを現実のものにしてあげたいという思いも抱き始めていた。

「僕は千恵が落ち着いたらいつ結婚してもいいなと思っていたので、将来の話をされても、じゃあそれでいこうなんて言ってました」


しかし千恵さん自身は「将来のイメージ」と同時に「将来の不安」も抱いていた。

2月下旬、千恵さんが友人の湯野川桃子さんと食事をした時のことだ。桃子さんは千恵さんに太郎さんとの結婚についてどう思っているのかぶつけてみたという。

「千恵ちゃんはどうして結婚しないの？」

「そうだよね。私がたぶん迷ってるだけなんだと思う」

「どうして迷ってるの？」

「やっぱり体のことを考えないと……」

「そうか」

「でも結婚はしたい。太郎ちゃんとは、私がうんと言ったら結婚するだろうなとは思ってるんだけどね」

この時、結婚の話はこれで終わった。食事をしている途中、桃子さんは千恵さんが少し咳《せき》をすることに気づいていた。「風邪かもしれないから気をつけてね」と言って桃子さんは千恵さんと別れた。


3月に入っても咳はいっこうに収まらなかったが、新しい会社で働き始めたばかりの千恵さんは病院に行かずに仕事を続けていた。千恵さんがそれほど心配をしなかったのには理由があった。わずか2週間前の2月16日、国立がんセンターで受けた定期検査では胸のレントゲンに何の異常も見つかっていなかったのだ。「まさかがんの再発ではないだろう」。誰よりも千恵さん自身がそう思っていた。

むしろこの頃、千恵さんは自分の体よりも忙しい太郎さんの体を心配していた。

3月2日、千恵さんは深夜になっても働き続ける太郎さんにこんなメールを送っている。

✉千恵→太郎　(3月2日　23:11)
「たろうちゃんも人間だからね、そんなに頑張ってたらいつか壊れちゃうよね。

そんなことになったらちえはすごく悲しい。たろうが辛いのはちえもいやだ。
しかも健康じゃなきゃなんにもできなくなっちゃう……。
たろうもちえも健康でいることが一番の幸せだ。
体を犠牲にしちゃ人生もったいない。
たろうに穏やかな生活が早く訪れますように」

「健康でいることが一番の幸せ」、メールにそう書いた千恵さんだったが、自身の体調はどんどん悪化していった。

3月5日。千恵さんの咳はもはや風邪の域を超えているように思えるほどひどくなり、胸に鋭い痛みを感じるようにもなった。

千恵さんはいったん会社に行った後、少し時間をもらって近くの病院に行くことにした。「課長、ちょっと病院に行ってきます」と言い残し病院に向かったが、事態は深刻だった。医師は千恵さんにこう告げた。

「早く主治医の先生の所に行ってください」

レントゲンに映し出された千恵さんの左の肺は、半分ほどが白い影で覆われていた。

✉千恵→太郎（3月5日　12：15）
「レントゲンとったら明らかにおかしいですって言われた。
左の肺に水がたまってるかなんかで横隔膜が隆起して映ってて、
心臓も肥大してるって。
ちえが見てもわかるくらい心臓がめっちゃでかかった。
普通寝てる時の体位でせきの出方には影響しないらしく、
ちえの場合そこからまずおかしいから気管支炎や肺炎じゃないって。
とりあえずCTとって診察待ち。怖くて挙動不審になる」

✉太郎→千恵（3月5日　12：20）
「オレも心配で挙動不審になる。お仕事よりも体を大切にしてね！
心配だ。早めに病院行ってよかったね」

✉千恵→太郎（3月5日　13：13）
「肺がんっぽい。ごめんねたろう」

✉太郎→千恵（3月5日　13：19）
「まだ決定じゃないんだし、大丈夫だよ。タローはまた応援するから頑張るんだよ！」

✉千恵→太郎（3月5日　13：27）
「これからがんセンター行ってきます」

最も恐れていたことが告げられるかもしれない。国立がんセンターに向かう車の中で、千恵さんの心は不安と恐怖でいっぱいだった。

次に太郎さんに送られたメールには、動かしようのない事実だけが短く書かれていた。

✉千恵→太郎（3月5日　15：16）
「明日から入院になった」

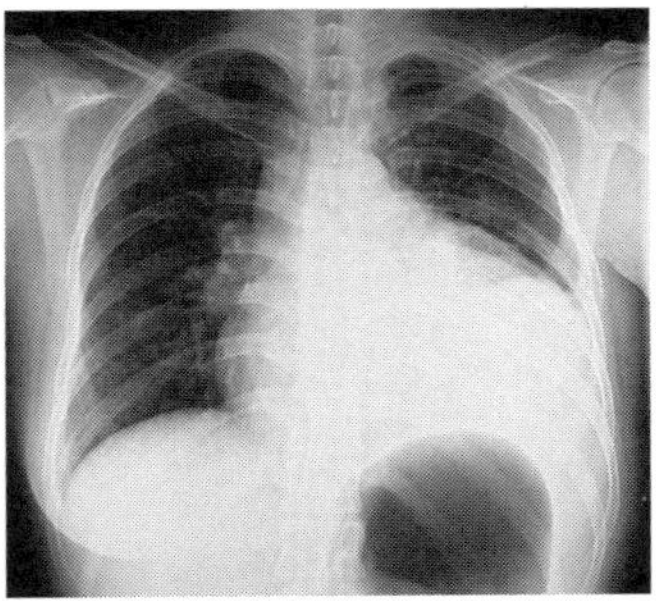

ごめんね

太郎さんが仕事を途中で切り上げマンションに戻ると、千恵さんは大粒の涙を流しながらうなだれていた。何と声をかけていいかわからずにその姿を見守っていると、千恵さんは突然太郎さんにこんなことを言った。

「太郎、ごめんね。がんが再発して肺がんになっちゃった。ごめんね」

「まだわからないじゃん。明日病院行ってちゃんと検査し直してもらおうよ」

「ごめんね、太郎。本当にごめん……」

「なんで謝るんだよ。もし再発だとしてもまた治療すれば治るよ。俺も一緒に頑張るから。一緒に頑張ろう」

そう言って太郎さんは千恵さんを励ました。絶対何か治療法はあると太郎さんは思っていた。乳房を切除した時みたいに肺の手術をすれば助かるのだろう、胸にたまった水を抜けば大丈夫だろうと思っていた。あれだけ前向きに頑張ってきた千恵さんがなぜ「ごめんね」と繰り返すのか太郎さんにはわからなかった。しかしその後も千恵さんはずっと太郎さんに謝り続けた。

マンションにかけつけた貞士さんと叔母の加代子さんは信じられない思いでいた。確かに再発の可能性は高いと言われていた。再び訪れるであろうがんとの闘いを覚悟はしていた。しかしそれはまだ数年先のことだと思っていた。乳房切除手術からまだ半年だ。定期検査にも通い、つい3週間前に「問題ない」と言われたばかりだった。仕事も順調にいき、すべては平和な日々に戻ったはずだった。

「千恵、もう一回頑張ろうね。私も一緒に頑張るよ」と加代子さんは千恵さんに言った。千恵さんは気持ちをむりやり落ち着かせるように涙を我慢しながらこう答えた。

「ありがとう……。加代ちゃん、私頑張る。頑張るからね……」

3月6日。千恵さんは再び国立がんセンター中央病院に入院した。

再入院

千恵さんはがんが再発した時の気持ちを「折られた」と表現した。

――Q　再発した時はどんな思いでした？

「また折られた、って感じですね。最初にがんと言われた時もそうなんですけど、うすうす気づいていくんですよ。検査をして『可能性がある』『疑いがある』から始まってだんだん『確定』していくので。そういう覚悟をする時間というのは結構あって。またか、って感じでした」

――Q　でも一度克服したし、もう一度やれるぞって自信があったんじゃない？

「そうですね。大丈夫だろう。私なら大丈夫だろうと思っていました」

最初の検査の後、医師からは乳がんが胸膜に転移した「可能性」が指摘された。胸膜は肺を包む膜で、千恵さんはその内側に水がたまり肺が押しつぶされている状態になっていた。

✉千恵→太郎（3月6日　17：45）
「胸腔に管（ドレーン）を入れるのは明日になりました。
嫌なことが先に延びて、とりあえずは今は気が楽。
さっき先生の説明を聞いてきたのでご報告。
今回胸に水が溜まった原因はがんによるもの以外に考えられないので、
抜き取った胸水を検査して、乳癌の胸腔内転移を確定するらしい。
そしてドレーンから胸水を全て抜き取ったら、
その部分に再び水がたまらないように本来ある空間を、
胸膜となんかをくっつけて埋めると。(ここが一番エグいし辛い山場)
ちえの場合抗がん剤を入れるわけで、
副作用として2、3日の発熱と吐き気に苦しむらしい。
基本一回だけど、一回でくっつかない場合は恐ろしいことに2、3回繰り返すと。
しかも必ず成功とは限らず今回はダメでしたで終る可能性が3、4割。

いやー今回の入院はちょっとハードル高いわね」

✉太郎→千恵（3月6日　18：03）

「報告ありがとう。とにかく早く抗がん剤治療してほしいよ。ちえは辛くて頑張らないとだけど、やっぱりがんは治さないと！！少し長引きそうかな。お見舞い沢山行く」

千恵さんのメールからはかなり深刻な事態が読み取れる。当初の診察で懸念された「心臓の肥大」は、詳しい検査の結果、胸にたまった水がたまたま心臓の部位に重なって写っていただけで異常はないとされた。しかし胸にたまった水は2リットルにもなることがわかった。医師は胸にたまった水を全部抜いた後、抗がん剤を体内に注入して直接がんを叩く処置を行いたいと説明した。そしてその処置は「必ず成功するとは限らない」とも付け加えた。

つらい内容ではあった。しかし医師から告げられた入院期間の見通しが千恵さんの心をいくぶん軽くさせていた。

✉千恵→太郎（3月6日　18：08）

「入院予定は10日間みたいよ！　うまくいけば」

✉太郎→千恵（3月6日　18：12）

「おぉ意外に早い!!　やったね」

夜になり、消灯時間が訪れた。病室に泊まるのは夏に乳房切除手術を受けた時以来だった。しかし、その時と心理状態は大きく異なっていた。前回はつらくても前を向いていた。失うものと引き替えに得た希望があった。あれからわずか7ヶ月。今回は希望を持てるのだろうか。千恵さんの心は沈んだ。

✉太郎→千恵（3月6日　21：31）

「今日もお仕事遅くなりそうだ。ちえは明日水出しだね☆

これでセキはとりあえず止まるね。タローー応援するから頑張るんだぞ」

✉千恵→太郎（3月6日　21：50）
「たろちゃんのこと考えてたら涙がとまらなくなっちゃって、
そしたらたろちゃんからメールが来て益々号泣中です。
今回ちょっと強がってる余裕がないみたいなんだよね。
たろちゃんからのメールがすごく心の支えになるよ。
どんなに遅くてもいいからメールちょうだいね」

再入院2日目から千恵さんの治療が始まった。

✉千恵→太郎（3月7日　13：48）
「たろちゃん！今報告しようとしてたのよー
怖かったよー！痛かったよー！また泣いたよー！てか痛いよー！
水1リットル出たぁー
一気に出すと具合悪くなるから一旦ストップ中」

✉太郎→千恵（3月7日　14：27）
「そっかー痛かったのかぁ　可哀想によしよし
1リットルもあったらそりゃー具合悪いよね。
面会いけそうな時は連絡するねぇ」

✉千恵→太郎（3月8日　14：31）
「今はご飯も下げられなくて、検査行くにも車いすだよ　さすがに病人だ
水抜くとね、今までつぶされていた肺が拡がるときにまたせきがでるので、
今日はせきがひどくて400ミリ位しか出せなかった。
でももうジャージャー出ないからそんなにないかもって話で
明日抗がん剤入れるかも知れない」

✉太郎→千恵（3月8日　14：53）
「車いすなの？？？
うーーーんなんか車いすとかそういう話聞くと病人だねぇ。

早く会いたいよー　助けたい」

✉千恵→太郎（3月9日　09：15）

「王子様おはよう　今日姫は寝違えて辛いの
これから元々外来で予約してた骨の検査をするみたい
現在まで排出した胸水の量は2・4リットル
また後でレントゲンとるみたいだけど、
まだ水が残ってたら薬入れるのは来週になるかもしれない
たろちゃんちゃんと寝れてる？ご飯食べてる？
今日1日がんばればゆっくり寝れるね」

体内から水を抜く管を挿入する際には、局所麻酔を行うものの大の男でもうめき声をあげるほどの痛みを伴うという。しかし、太郎さんに送ったメールからは、前向きに治療に取り組む千恵さんの姿が見て取れる。ドレーンによる水の排出は5日間にわたって行われた。

✉千恵→太郎（3月12日　17：09）

「ホースとれたのぉぉ！」

✉太郎→千恵（3月12日　17：11）

「おぉーおめでと　スポって取れた？

他にお水はたまってないの？」

✉千恵→太郎（3月12日　17：17）

「傷口は痛いけど抜くときは何も感じなかったょ

まだ何にも話されてなくてわかんないんだけど、

明日今後のこととか家族集合でお話があるの。

自由になったらはしゃぎすぎてちょっと疲れちゃった」

✉太郎→千恵（3月12日　21：27）

「今日は疲れたからもう寝ちゃったかな
明日のお話し合いは良い話だといいねぇ☆
帰ってこれる話だといいなぁ」

✉千恵→太郎（3月12日　21：30）
「まだ起きてたよん。
今日先生に家に帰っても大丈夫そう？って聞かれたからはやく帰れるかも」

✉太郎→千恵（3月12日　21：32）
「ワーイワーイ☆先生そんなこと言ってた？そりゃ期待できるな！」

翌13日。千恵さんがメールで太郎さんに告げたとおり、医師による説明が行われた。「家に帰れる話かも」と期待していた千恵さんだったが、その期待は大きく裏切られることになった。

医師が千恵さんに説明をした時のメモ（面談票）にはこんな文字が残っている。

水を抜く処置。
癒着がうまく行っていない。
心のう水（心臓周辺に蓄積する異常な
液体）がたまってきている。
がん性胸膜炎再発。
がんをたたく治療。
うまくコントロールできないと
生命にかかわってくる。

がんは胸膜に転移していることが確定した。
千恵さんは親しい友人にまとめてこんなメールを送っている。

✉千恵→友人3人（3月14日　18：47）

「皆様、音信不通によりご心配をおかけしまして申し訳ございません。

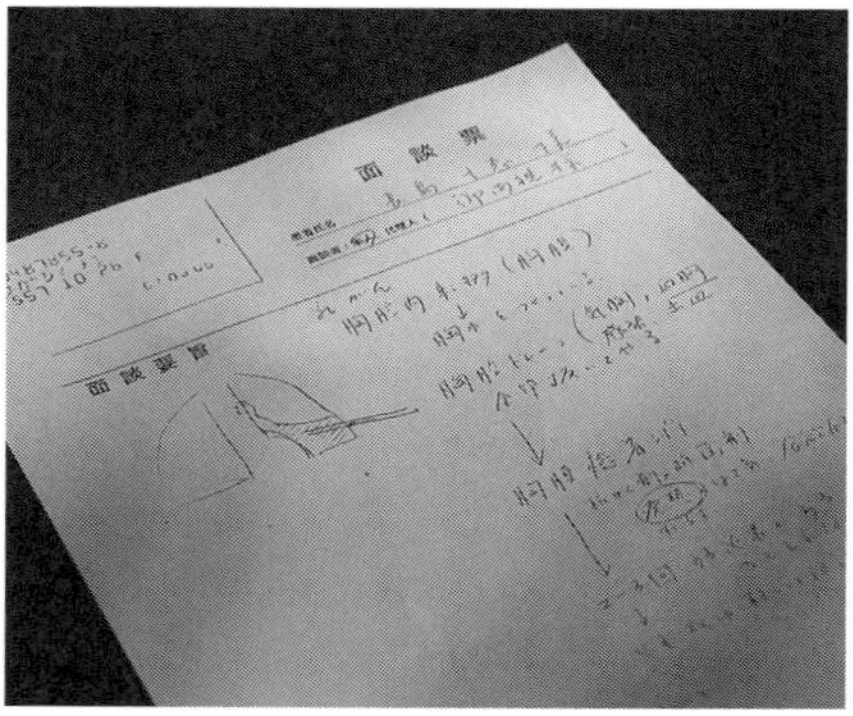

昨日担当医からお話があり、今回の件はがんの再発ということが確定しました。
また、数日前癒着させた部位と違う所でまた胸水が溜まってしまいまして…
今回はちゃんとチューブと言えるモノが刺さってます。
ということで私の入院はもう少し長引きます。
あ、あとこの後抗がん剤治療になりそうなので、また丸坊主です、
と同時に結婚式もまだまだ先になりそうです」

毎日のようにお見舞いに行っていた友人たちは千恵さんの体調がどんどん悪化することに気づいていた。入院した直後は歩いて動き回りたくさんしゃべっていた。しかしそのうち動き回ることをしなくなり、ベッドの上で過ごしている時間が増えた。息が苦しそうな時も次第に増え、酸素マスクをするようになった。

3月14日

医師の面談票からも容体悪化の様子がはっきりとわかる。

左胸水再度貯留。

トレナージ（ドレーンで水を抜く処置）必要。

気胸・血胸・出血感染の可能性。

大きな治療方針については明日相談。

3月15日
右側の肺にかげが出てきている。
がんの増殖スピード早い。
全身治療を急ぎたい。

前向きな千恵さんも、悪化する一方の容体に落胆を隠せなかった。太郎さんの前では時折気持ちを爆発させるようになった。

「千恵の今の目標は普通の生活に戻ることなんだよ。普通の生活だよ。みんな誰もができることを目標にしなくちゃいけないんだよ」

千恵さんはそう言って激しく泣いた。

友人の桃子さんはお見舞いに行くたびにある不安を覚えるようになった。元気な友達がお見舞いに行くことが千恵さんにとってはストレスになるのではないか。「なんで私だけが苦しむの……」と思うんじゃないか。ある日桃子さんは思い切って気になっていたことを直接千恵さんに聞いてみた。すると、千恵さんは少し悩みながらもこう答えた。

「本当にこういうことを言いたくないいし、こんなことを言う人は性格悪いと思うんだけど、たまにそういうふうに思っちゃうんだよね、正直。でも来てくれることのほうが嬉しいから、来てほしい」

月単位

貞士さんと加代子さんはいつも千恵さんと一緒に医師の説明を受けた。面談の最後に医師は必ず「何かありますか？」と聞いたが、千恵さんがいる場でつらいことを告げられるのが怖く、二人は「特にありません」と言い続けてきた。しかし本当はどうしても聞いておきたいことがあった。それは「今後の見通し」だった。

何度目かの医師との面談の後、貞士さんと加代子さんは千恵さんに了解を得て、二人だけで医師と話をした。その時、加代子さんは覚悟を決めて「聞きたかった質問」を医師にした。

加代子さんの問いに医師は独特の表現で答えた。

「月単位で考えてください」

月単位とは一定の期間を指すものではない。あえて解釈すれば、あと数週の命と言うほど短くもないが、あと数年の命と言うほど長くもない、というあいまいな意味だ。だが、貞士さんと加代子さんにとって期間は問題ではなかった。「もうまもなく命が終わる」。その宣告だけで胸が張り裂ける思いだった。

「千恵さんがやりたいことを何でもやらせてください」と医師は言った。二人は呆然としたままその言葉を聞いた。再発した時、信じられない思いで千恵さんの涙を見た。手術から半年の再発は誰が覚悟したよりも早かった。そしてこの年齢でがんが再発した場合、これからの闘いは勝算が決して高くないこともわかっていた。それでも治る方法はきっとあると信じていた。頑張っていけば何かが起きるかもしれない。千恵さんの母・雅代さんの時のように新しい抗がん剤が効いてすぐに元気になるかもしれない。貞士さんも加代子さんも千恵さんと一緒にがんと闘い、勝つ気持ちで臨んでいた。それなのに、再発の宣告からわずか10日もしないうちに告げられたのは「もうすぐ亡くなります」という終戦通告だった。その瞬間、二人の心には悲しみではなく、恐怖が湧き起こり、体の震えを止めることができなかった。

この時、病室には千恵さんの友人の怜子さんがいた。一人だけ先に戻ってきた千恵さんに「どうしたの？」と声をかけると、千恵さんは「説明受けてる」と言ったきり、ベッドに伏して泣いた。そして黙って見守るしかなかった怜子さんに千恵さんはこうつぶやいた。

「私もうダメかもしれない」

貞士さんと加代子さんが病室に戻ってくるには長い時間がかかった。その間、千恵さんはずっと泣きながら「太郎に会いたい」と繰り返していた。

千恵さんは乳がんになってから、がんの専門書を何冊も買い込んで病気について調べていた。それらの本には、がんの進行段階ごとの5年生存率や10年生存率が掲載されていた。がんが胸膜に転移しているということは、千恵さんのがんの進行段階は最も重いⅣ期となる。どの専門書を見てもⅣ期の生存率は著しく低いものだった。なかには「Ⅳ期の場合、1年で患者の半数が亡くなる」というデータを無機質に掲載している本もあった。

病室に戻った加代子さんに千恵さんはこう言った。

「私、泣くのにも疲れちゃったからもう泣かない。泣かないで頑張るから」

3月23日。外泊の許可が出された。

「月曜の夕方まで外泊できることになったよ。そんで火曜日に今後について先生からお話があるって。そしたら退院かも」と千恵さんは加代子さんにメールを送った。

桜が満開になった週末、千恵さんは三浦市にある実家に帰った。ちょうどお彼岸の時期にあたったため、母・雅代さんのお墓参りにも行った。3ヶ月後、自分が眠ることになるその墓に、千恵さんは花を手向け、線香をあげ、手を合わせた。

3月26日。千恵さんは病院に戻った。この日から、それまで使用していた鎮痛剤に加えて、医療用麻薬を用いた疼痛管理、いわゆる痛みのケアが始まった。最初はモルヒネ系の液体の飲み薬だった。

実はこの頃、がんが胸骨と肺に転移していることが判明した。がんが骨に転移すると、患者は例外なく激しい痛みに苦しむ。その痛みのひどさは想像を絶するという。痛みを感じるたびに千恵さんはその薬を飲み、じっと我慢した。

3月27日。医師は千恵さんに自宅療養を目指すことを説明した。「自宅療養」と言えば聞こえがいいが、それは「医学的な治療の終わり」を意味していた。千恵さんが目指していた「治療を終えて退院する」こととは天と地ほどの違いがあった。

翌日、千恵さんは桃子さんにこんなメールを打った。

✉千恵→桃子（3月28日　13：19）
「治療するって言ったっけ？もうできることないんだ
あとは自宅療養の環境整えて病院出るだけ…」

そしてその夜。太郎さんにはこんなメールが届いた。

✉千恵→太郎（3月28日　21：45）
「たろちゃん、ちえ生きたいよ……
助けて、怖いよ」

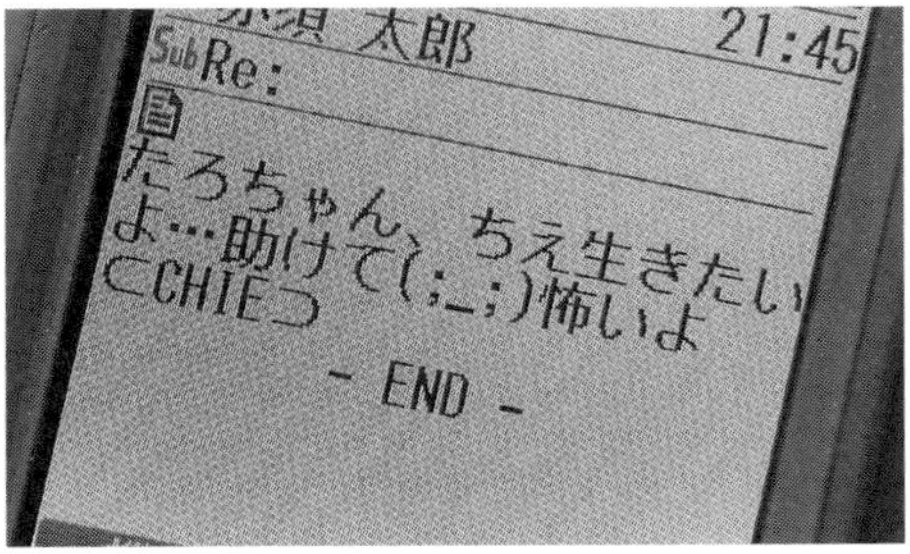

予後週単位

3月30日。朝、叔母の加代子さんに千恵さんから突然電話がかかってきた。

「加代ちゃん。急に先生がお話があるって言うんだよ。お父さんには電話したんだけど、お父さん一人だと心配だから加代ちゃんも来てくれない?」

急きょ仕事を休んで栃木から病院にかけつけると、そこには父親の貞士さん、親族の数人、そして太郎さんの姿があった。

午後2時、医師の説明が行われた。千恵さんは「もう聞きたくない」と言って病室に残った。

医師はまず、千恵さんが服用している錠剤の抗がん剤が効果をもたらしていないことを告げた。そして全身状態がよくないこと、他の抗がん剤による治療を進めると肺炎などにかかるリスクが高いこと、またその治療法がうまくいく可能性は低いことを説明した。千恵さんの体内で増殖しているがん細胞は、これまでに試したいくつもの抗がん剤を乗り越えてきた手強い細胞で、これ以上化学療法をしても効果は期待できないということが丁寧に説明された。簡単に言えば、もう打つ手はなくなった、ということだった。

そして医師は千恵さんの今後の見通しに触れた。その時の面談票にはこんな記述が残っている。

急変の可能性あり。予後は週単位

余命告知に使われる言葉は素人にはすぐに理解ができない。ショックを和らげるためにあえてそうしているかと思えるほどだ。「予後」とはこの場合「余命」を意味し、「週単位」とは「あと数日の命というほど短くもないが、あと数ヶ月というほど長くもない」という意味だった。

親族の一人が思わず聞いた。「予後週単位って、あとどれくらい生きられるということなんです

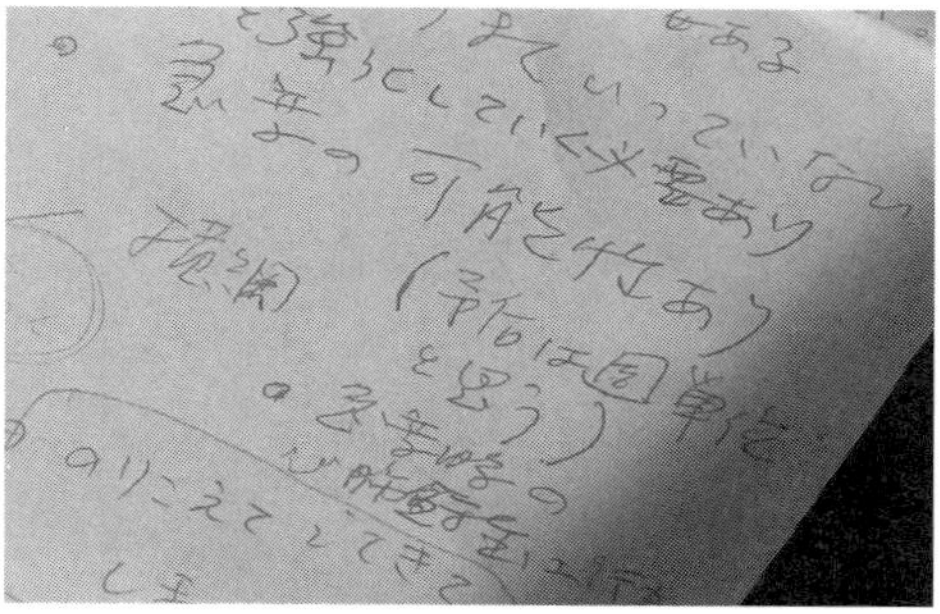

か？」

医師の口から出た言葉に、その場にいた全員が凍りついた。

「1ヶ月です。もしかしたらもう少し早くなるかもしれません」

余命1ヶ月。千恵さんの命に期限が提示された。

「何を言ってるんだろう？」。太郎さんは訳がわからなかった。「イッカゲツ」という言葉が何かの記号のように頭の中でぶらぶらと揺れた。1ヶ月前、千恵さんは普通に仕事をしていた。1ヶ月前、普通に二人で楽しく暮らしていた。1ヶ月前、普通に夢や希望を抱いていた。なのにその1ヶ月後になって突然「あと1ヶ月の命」と言われても、「はい、わかりました」と納得できるわけがなかった。

「まさか。そんな馬鹿な……」。貞士さんは信じられなかった。がんの進行は雅代さんの時に嫌というほど見せられてきた。しかしあの時は時間があった。旅行にも行けた。つい先日「月単位」と言われたばかりだ。まだそれを受け入れてもないし、あれからまだ2週間も経っていない。なのになぜ「あと1ヶ月」なのか。どう考えても理解できなかった。
「聞かなきゃよかった」。加代子さんは思った。「月単位」と言われて病室に戻った時、千恵さんは泣きはらした目で「もう泣かないで頑張る」と言った。そして本当に泣かずに頑張ってきた。体調は加速度的に悪化していたが、それでもまだ「月単位」は残されていると信じていた。「やりたいことをやらせてください」と言われてももう何もできる時間がないではないか。誰にぶつけることもできない怒りと絶望が同時に湧いてきた。

説明を聞いた誰もがすぐに病室に戻ることができなかった。駐車場に停めた貞士さんの車の中で全員が泣いた。突き上げるような感情に襲われた。悲しさ、つらさ、怒り、寂しさ、絶望、動揺、同情がない交ぜになった得体の知れない感情だった。誰の心にも千恵さんの顔が浮かんできた。千恵さんはにっこりと微笑んだ。「頑張る、頑張る」と言って唇をきゅっと締めた。「ありがとね」と言って目を細めた。千恵さんが笑顔を見せるたびに、涙が止めどなく溢れてきた。車の中は深い暗闇に閉ざされたようだった。世界で最も不幸で暗い場所に思えた。がん患者を見舞った人たちがその人たちなりの深刻そうな顔をして歩いていた。しかし最も深刻なのは自分たちだと誰もが思った。

ひとしきり泣いた時、誰かが言った。

「もうそろそろ戻らないと。千恵が変に思うから」

その言葉を聞いて貞士さんたちは重い腰を上げ、16階の病室へと向かった。まるで大きなおもりがついているのではないかと思うほど足取りは重かった。病室に入るのが怖かった。千恵さんの顔を見るのが怖かった。上昇するエレベーターの速度が異常に速く思えた。長い廊下もいつになく短く思えた。千恵さんにどんな顔を見せればいいのか。それぞれが覚悟を決められないまま病室に入った。

千恵さんはベッドに座っていた。オレンジ色の枕を抱いて不安そうな表情をしていた。「ちょっと時間かかっちゃった……」と誰かが言い訳になっていない言い訳を言った。すると突然、千恵さんは貞士さんに聞いた。

「先生なんて言ってた？『1年もつ』って言ってた？」

貞士さんはどきっとした。慌てて答えを探した。

「冗談じゃないよ……、『1年』なんて全然……、そんなこと言ってないよ……」

貞士さんは冷静に言ったつもりだったが、言い終わって鼓動が早くなっていることに気づいた。

太郎さんは医師の説明がどんなものであろうと、千恵さんに伝える言葉は予め決めていた。「治療方針を話し合っただけだよ。問題はない。だから千恵は今までどおり治療に専念してればいいいんだよ」と。

太郎さんは精一杯明るく振る舞いながら、決めていた台詞を千恵さんに伝えた。「そう……。よかった……」。千恵さんの表情はそれほど変わらないように見えた。

この日から抗がん剤よりも緩和ケア、つまり、苦痛に対するケアが千恵さんの「治療」の中心となった。錠剤の抗がん剤は飲み続けることになったが、もはや効果は期待できなかった。

迷い

国立がんセンターは原則として「告知主義」を取っている。がんであること、今どんな状態であるか、治療にはどんな選択肢があるか、そして先の見通しはどれくらいか。それをきちんと患者に伝えることで、自分がどのような治療を受けるか、また受けないか、そして残された時間をどのように過ごすか、といったことを患者自身が考えられるようにしている。例えば「余命1年」の患者が抗がん剤を使っての治療にかけるか、それとも残された時間を治療以外のことに使うかは、医師が判断したり強制したりするべきものではない。国内におけるがん治療の最前線の病院であるがゆえ、この原則を医師たちは最大限尊重して患者と向き合っている。よってここでは、「本人には告知しないが、家族にはする」ということは原則として行われないのだ。

貞士さんから「千恵がいない所で説明してほしい」と言われた主治医は、医療チームの中で慎重に話し合いを行った後、千恵さん本人に承諾を得て家族に説明を行った。3月30日以降、千恵さんは医師の説明を聞くことを希望しなかったため、主治医も最後まで本人には「先の見通し」を告げなかった。医療チームの思いについて、副主治医の男性医師は後にこう説明している。

「患者さん本人が病状を受け入れきれていないので、主治医は徐々に告知していこうという思いがあったと言っています。ただ実際には、患者さん本人が聞きたくない、ということで、腫れ物に触るというような部分もありました。そうこうしているうちに状態が悪化して、患者さんが余命を聞きたいかどうかも聞く機会がない、という状況になりました。ただし、段階的に話そうという姿勢で臨んでいたつもりではあります」

国立がんセンターといえども、千恵さんのような若い女性の患者は極めてまれな存在だ。がんさえなければ女性としてたくさんの幸せを経験していくはずの24歳の患者に「余命1ヶ月」と告げることは、どの医師にとっても簡単なことではなかったに違いない。

千恵さんに余命を告げるべきか、告げざるべきか。千恵さんにとって最善の答えはどちらなのか。毎日病室を訪れる貞士さん、加代子さん、太郎さんはそれぞれが深く悩んでいた。

「言えなかった」と貞士さんは言った。

「千恵は『1年？』って僕に言ったからね。1年はもっと思っていたんじゃないかな。その千恵に余命1ヶ月だなんてことを言うのは本当に考えられなかった」

加代子さんの考えも貞士さんと同じだった。

「千恵が『先生の話を聞きたくない』と言った時点で、私は千恵に余命を伝える気はなかった。千恵は十分に怖い思いをしている。いつまで自分は頑張れるんだろうって恐ろしい思いをしていると思う。そんな千恵に『もう助からないんだよ』なんてとても言えない……」


一方、太郎さんは迷っていた。

「僕は心の中でどっちがいいのか揺れ動いていました。千恵だって『最後の話』とか、『自分があと1ヶ月で死ぬんだったら、あれやりたい、これやりたい』ということが絶対あると思って。それを本当に教えてあげなくていいのかな、という思いはずっとありました」

太郎さんは誰にも相談できずに悩んでいた。宣告を聞いた六人は「余命については誰にも言わない」と誓い合っていた。しかしどうしても耐えきれず、太郎さんは自身の父親に深い悩みを打ち明けた。恋人の存在について打ち明けるのはそれが初めてだった。息子と息子の愛する人が直面している状況に戸惑いを見せながらも父はこう答えた。

「千恵さんには聞く権利もあるし、聞かない権利もあって、千恵さんは聞かない選択をしている。聞きたくない人に無理やり聞かせたいのは、おまえが聞かせたいだけじゃないのか。千恵さんの気持ちは千恵さんにしか分からない。厳しいようだけど言わないほうがいいんじゃないだろうか」

しばらく父親の話を聞いていた太郎さんは自分なりに2つの結論を出した。

一つは「余命は告げない」ということ。そしてもう一つは「残された1ヶ月という短い時間に、千恵さんが望むことは何でも叶えてあげよう」ということを。

闘病記

千恵さんの病室にはいつも誰かが来ていた。貞士さんや太郎さん、加代子さんや友人たちが頻繁に病室を訪れては、話をしたり、身のまわりの世話をしたり、一緒にテレビを見たりしていた。

友人の湯野川桃子さんもその一人だった。

千恵さんが再入院してしばらく経った3月中旬、千恵さんと桃子さんは病室で何気ない会話を続けていた。その時、千恵さんは笑いながらこんなことを話した。

「どうしてこんなにいろんなことが私には起きるんだろう。私、闘病記の本とか出せるよね。取材とか来てくれないかな。ネタならいっぱいあるよ。ははは」

笑いながらの言葉だったが、千恵さんの思いは半分本気だった。

「病気と闘う人の話を見たり聞いたりすると、本当に一人じゃないんだなと思うんだ。特に同じ若い人たちが病気を乗り越えようと頑張っている姿を見ると、私も頑張らなきゃと思えるんだよね」

「そうね。千恵ちゃんなら闘病記、できるよね」。桃子さんはそう答えながら、ぜひ千恵さんの思いを実現してあげたいと思った。

桃子さんは早速、マスコミ関係者を探し始めた。自分が知る人の中にはいない。それならば友人の友人では駄目か。マスコミについてのありそうな友人に「取材してくれそうな人を紹介してほしい」とお願いしていった。すると、しばらくして、友人のまた友人にＴＢＳテレビの報道記者がいることがわかった。

それを知って、桃子さんは千恵さんに取材の話を持ちかけてみた。

「友達の友達にテレビ局の人がいるんだけど、千恵ちゃん、前に取材してほしいって言っていたよね。どうする？　取材受けてみる気ある？」

桃子さんの打診を受けて、千恵さんは加代子さんに相談をした。

「太郎ちゃんのこともあるから悩んだんだけど、でも加代ちゃん、年配になってからの乳がんの情報ってあちこちにあるし、すぐに調べられるんだけど、若い人の情報って本当に皆無に等しいんだよね。だから、若い人でもがんになる危険があるというのを知らせるためにも、取材を受けてみようと思うんだけど、いいかな？」

「千恵がいいと思うなら私はいいよ。頑張ってごらん。でも太郎ちゃんには相談しておきなね」

「わかった」

千恵さんはすぐに太郎さんにも相談をした。太郎さんの答えは明快だった。

「千恵がやりたいなら、俺はいいと思うよ」

「取材を受けてみようと思う」

千恵さんは桃子さんに伝えた。

「自分が何かを発信して勇気づけられるのであればやってみたい。若い人に病気のことを知ってほしいし、異変に気づいたら体を大切にしてほしいというのも伝えたい」

千恵さんはそう言ったうえで、「それと、自分が生きているということを残したい」とも話した。

桃子さんはすぐに友人に連絡を取り、自分の連絡先をＴＢＳの記者に伝えてほしいと依頼した。連絡が来るまでには数日の間があった。その間、千恵さんの病状はみるみる悪化していった。

ＴＢＳの記者から連絡があったのは4月3日の夜だった。桃子さんはいつものように病室に千恵さんを見舞い、自宅に戻った。携帯電話が鳴ったのはその時だった。見慣れない番号に緊張しながら電話に出ると、男性が「ＴＢＳの樫元といいます」と話した。その声を聞いて「本当にありがとうございます」と思わず言葉が口に出た。

桃子さんは千恵さんが取材を希望していることを伝え、これまでの闘病の経緯を手短に伝えた。手短に話せば話すほど千恵さんの闘病はまるで2時間ドラマのあらすじのように慌ただしく思えた。しばらく話を聞いていた男性記者は「わかりました。取材に伺います」と言った。桃子さんはその言葉に喜んだが、絶対伝えなくてはと思っていたことを忘れていなかった。

「できる限り早く来てくれませんか？　時間があまりないんです」

千恵さんの容体は坂道を転げ落ちるように悪化していた。太郎さんの話しぶりから、千恵さんに残された時間はそれほどないのだと感じ始めていた。「もしかしたらもうすぐ話ができなくなるかもしれないんです」。桃子さんはそう付け加えた。

男性記者は「わかりました。では明日伺いましょう」と言って電話を切った。千恵さんの願いを一つ叶えてあげられそうな気がして、桃子さんは少しだけ嬉しくなった。

「取材に行く」と伝えたものの、TBSの樫元記者は迷っていた。余命わずかの末期がん患者にインタビューで何を聞くべきなのか、そして何を聞いてはいけないのか、まったく見当がつかなかった。事件や事故の取材で亡くなった人の遺族に話を聞いた経験は何度もあった。しかし、「これから亡くなる」という本人を前にして、ましてや死が迫っていることを知らない人を前にしてどう振る舞えばいいのか。病室に向かう時も、インタビューしている間も、迷いは消えなかった。

インタビュー

2007年4月4日。白と黒のギンガムチェックのパジャマを着た千恵さんは、お気に入りのオレンジ色の枕を抱えながらベッドの上で樫元記者の取材に応じた。

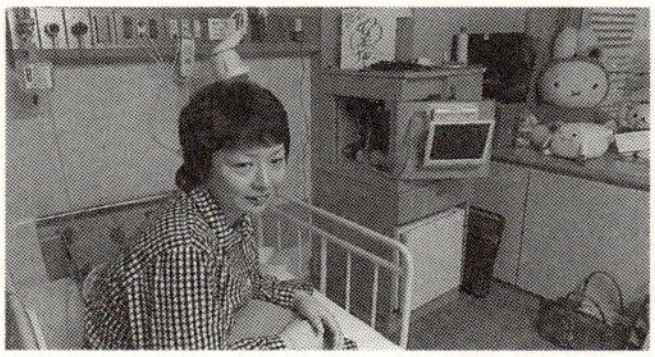

30分間に限って行われたインタビューで、千恵さんはすべての質問に一つ一つ丁寧に答えた。

――Q　入院してどれくらい経つのかな？

「1ヶ月経ちそうですね。あと2日でちょうど1ヵ月です」

――Q　体調はどうなんだろう？

「体調は……よくなってるとは言えないですけど、落ち込んでた時から比べたら、気持ちの面では元気になれたと思います」

そう言って千恵さんは笑みを見せた。

――Q　今はどんな治療なのかな？

「胸に水がたまっちゃってたので、それを抜く治療はしたんですけど……、またたまっちゃって……。その水のせいで肺がつぶれちゃってるんです。でもそのスペースで呼吸することも慣れてきて……。うまく付き合っていくってこういうことかなって」

――Q　呼吸がつらそうに見えるのはそのせい？

「はい」

――Q　どの時が一番つらかったですか？

「入院した頃ですね。再発って言われてはいないですけど、ほぼそうだろうと思って。入院してからはっきり再発ですって言われるまでの期間とか、もちろん言われた後とかも。最初の2～3週間はとてもきつかったです」

――Q　体のつらさもそうだし、心理的なつらさもあるのかな？

「そうですね。体がつらいと心もやられますね」

――Q　調子はよさそうに見えるけど、そうじゃない時もあるの？

「そうですね。10分後には息がゼーゼーなったり。あと、痛みが今あるので。痛み止めが切れると、すっごい痛みがあるので、のたうち回っちゃいます」

記者は一瞬躊躇したが、聞いてみた。

――Q　痛みというのは……どんな痛みですか？

「骨が折れそうな……。もう、どの体勢もつらい」

その言葉を千恵さんは少し笑いながら話した。骨が折れそうな痛み。笑えるような事態でないことは記者も当然わかっていた。

――Q　治療は大変だよね

「治療は……、手術する前に抗がん剤を点滴で打ってたんですけど、その時のほうが副作用っていうのがすごい大変で。髪の毛抜けましたし、吐き気との闘いですよね。今の抗がん剤は、そんなに目立つ副作用がなくて。今は治療してるっていう感覚はあまりないです」

今は治療している感覚はない。千恵さんは寂しそうに話した。

質問は体のことから心の中へと移った。

――Q　ベッドの上ではどういうことを考えたりしますか？

千恵さんはすこし考えを巡らせた。

「夢……かな……。こうだったらいいのになぁとか。そういうことばっかり、ウフ……考えてる。病気のことはあまり考えないですね……。つらくなるだけなので……」

そう言って千恵さんはまた少しほほえんだが、それは苦しさを紛らわすための手段に見えた。瞬間的に記者はわざと明るく言った。

――Q　前向きだね

「前向きになれたんです。アハ、最近やっと」

沈み込む気持ちにブレーキがかかったように思え、記者は少しほっとした。

「夢」と千恵さんは言った。記者は躊躇したが、それを聞かないことはあまりにも不自然だった。

——Q　夢というのはどんなことか、聞いてもいいですか？

千恵さんはすぐに、そしてはっきりと答えた。

「はい。普通の生活に戻る。ちゃんと女性として生きたいな……って思ってますね」

そう言って千恵さんは二度三度と頷いた。まるで自分の思いを自分自身に確認するかのように。記者は続けた。

——Q　よくなったらこういうことがしたいな、というのは何かありますか？

その問いに、千恵さんは初めて声を詰まらせた。

「まず……、お父さんと旅行に……行きたいです……」

千恵さんの目に涙が溢れた。寂しそうな表情でじっと手首のブレスレットを見つめた。

——Q　ずっと看てくれているのかな？

千恵さんは言葉が出せなかった。高ぶった感情を精一杯抑えながら一度だけ頷《うなず》いた。

その時、一筋の涙が千恵さんの頬を濡らした。

記者は胸がつぶれる思いだった。それを見透かされないように、無理に明るい口調で聞いた。

――Q どこに旅行に行こう？

涙をぬぐいながら千恵さんは言った。

「京都って決めてる」

――Q 京都か。それはどうしてですか？

「昔、父が行きたいって言ってて……、それを覚えてたので……」

記者は千恵さんの母親が以前がんで亡くなったことを桃子さんから聞いていた。そして父親が唯一の家族であることも。「お父さんと旅行に……」、そう言って涙を流した千恵さんを見て、それが実現できそうにないことを千恵さん自身は感じ取っているのではないかと感じた。

千恵さんには「覚悟」があるのだろうか。しかし、その質問を突きつけることはあまりにも残酷だった。迷いに迷ったうえで、記者はこう聞いた。

──Q　不安はないですか？

瞬間、記者は後悔した。千恵さんを傷つけてしまうのではないか。泣きだしてしまうのではないか。しかし千恵さんはむしろそれまで高ぶっていた感情をぐっと抑えて、はっきりと答えた。

「毎日あります。やっぱり最悪のことも考えますし……。まだ、あんまり実感ないっていうか……、自分のことに思えないから……。あまり現実を見れてない部分もありますね」

お気に入りの枕をひざの上に乗せ、それをじっと見ていた。その姿は本当に悲しそうに見えた。

記者は沈んだ空気に耐えられず、質問を変えた。

──Q　まわりの人たちへの思いは、がんになる前と比べて変わりました？

「うん、もう宝物ですね。なんか、自分のことを思ってくれる人がこんなにたくさんいるんだって思って。それにびっくりしたし、毎日感謝してます」

千恵さんは気を取り直したように明るく言った。

決めていた30分の制限時間が近づいてきていた。千恵さんがこの取材を受けようと思った時に心に抱いた思いを聞いた。

——Q　自分と同じ若い人に伝えたいことはどういうことですか？

その問いに千恵さんはしっかりとした口調で答えた。

「私もそうなんだけど、自分がなるまですごい他人事なんですよね、病気って。よく親が死んでから親孝行したくなるって言いますけど、本当に自分が病気になってからじゃないと健康であることのありがたみがわからない部分が多いと思うんです。本当に病気になってからじゃ遅いんだっていうのをわかってもらって。早いうちに防ぐことが大事だと思うので。特に若い人は進行も早いし、再発の可能性も高いし。若い人ほど自分の健康管理はちゃんとしてほしいと思います」

そして、と千恵さんは続けた。

「まわりを見ると、自分より年齢の高い人が多くて、自分一人で闘ってる気がするんですよね。テレビとかで同じ年代の人とかが頑張ってる姿を見るとすごい心強く思うし。自分独りじゃないんだって思えるので、私の姿を見る人も絶対自分独りじゃないって、思っててほしいですね」

30分のインタビューが終わった後、取材クルーは病室の風景の撮影に移った。記者は部屋の外で取材が終わるのを待っていた父親の貞士さんや友人たちに「普段の部屋の様子を撮影したいので、部屋に戻っていつもどおりにしてください」と声をかけた。

病室に入ってきた貞士さんは、ベッドの横に座って千恵さんの背中をさすり始めた。「いつもそうやって背中をさすってあげるんですか？」。記者が聞いた。「そう、たまにね。苦しい、痛いって言うとやってあげるんです」。貞士さんは答えた。

「ずいぶんよくなるんじゃない？」。千恵さんに聞いた。

「本当に楽になるんですよ、人の手って」

千恵さんが自分の手でさするまねをしながらそう答えると、貞士さんが続けた。

「早くよくなってもらいたいからね。頑張らなくっちゃ」

貞士さんは笑顔を作った。その笑顔が硬いことに記者は気づいた。


貞士さんは毎日1時間以上かけて神奈川県の自宅からお見舞いに来ているのだと言った。高校を卒業後、進学のために東京に出た千恵さんとは離ればなれの生活だったが、「離れていても携帯でやりとりができるから、いつもそばにいるつもりでいる。何も連絡がなければ、ああ何事もないな、元気だなって思うからね」と言った。

「じゃあ離れて暮らしている時に千恵さんの体調が悪くなったんですか？」。記者は聞いた。

「ここにしこりがある、なんて言われて。えーってびっくりして……」

左胸を押さえながら貞士さんは答えた。

「診断を聞いた時はどんな思いでした？」

「ねぇ……本当に……何と言っていいか……」。貞士さんは言いよどんだ。そして、「怖かったね……。まさか、と思ったけど……。嘘だろうって思ったな……」と沈んだ表情で答えた。その横で千恵さんは目線を合わせないまま「だね……」と相づちを打った。思いがけず重くなってしまった空気を変えようと思ったのか、貞士さんは急に大きな声で言った。

「とにかく、治ってもらわなくっちゃ、どうしようもないから。ね。」

父の話をずっと俯いて聞いていた千恵さんは、一瞬笑顔を作ろうとしたが、それはすぐに深い悲しみの表情に戻った。

父が「余命一ヶ月」の宣告を受けたのがこのインタビューのわずか5日前だったことを記者は後になって知った。

この日、病室には千恵さんの友人の桃子さんと、コンパニオン事務所の上司、江川さんも来ていた。カメラが病室全体の映像を撮影していると、江川さんは千恵さんの右手を取り、何やら作業を始めた。小さなケースに入った飾りをピンセットで取り出し、千恵さんの爪に慎重に載せていった。よく見ると左手の爪はすでにきれいなネイルアートが施されていた。

実は、ある準備が進められていたのだ。

第3章

密やかな願い

話は1週間ほど前にさかのぼる。

3月下旬。ちょうど「自宅療養」の方向性が示され、千恵さんが落ち込んでいた時だった。病室には桃子さんがお見舞いに来ていた。

その時、千恵さんが不意にあることを言い始めた。

「桃ちゃん。お願いがあるんだけど……」

「なあに?」

「私、ウェディングドレス着てみたいな……」

「ウェディングドレス？」

「着られないかもしれないから……。ドレス着てみたい……」

「そうか……。じゃあせっかくだからドレス着て写真を撮ろうよ。できるところ探してみるから」

千恵さんの寂しそうな顔を見てなんとかしたいと感じた桃子さんは、自宅に戻るとすぐに情報収集を始めた。ウェディングドレスを着て写真を撮ることは写真スタジオで簡単に実現できそうだった。しかしその時、桃子さんはあるアイデアを思いついた。

「そうだ。せっかくウェディングドレスを着るなら、太郎さんにもタキシードを着てもらって結婚式みたいなことをやってあげよう。千恵ちゃんには内緒にして……」

桃子さんはさっそく太郎さんに相談をしてみた。

「太郎ちゃんどう思う？」

「俺はやってあげたいな。絶対千恵喜ぶと思うよ。それに俺もタキシード着てみたいし。えへへ」

「わかった。じゃあ私は式場を探すから、太郎ちゃんは千恵ちゃんに話をしてみてくれる？」


桃子さんのアイデアを聞いた太郎さんは病室で千恵さんの感触を確かめてみた。

「ウェディングドレスの話聞いたよ。俺も一緒に写りたい」

「だめ。太郎は新郎の格好をしてくれなくてもいいの。私は自分一人でドレスが着られればそれでいいんだから」。千恵さんは強い口調で言った。

「なんで？　俺もタキシードとか着てみたいしさ」

「千恵がいなくなった時に太郎に悪いし、太郎の次の彼女にも悪いじゃない」

千恵さんが言ったその言葉に今度は太郎さんが強い口調で諭した。

「なんでそんなこと言うんだよ。千恵が死ぬことはないんだからそんなこと言うなよ」

太郎さんはとにかく自分も一緒に写りたいと主張した。千恵さんはずっと「太郎に悪い」と言っていたが、何度も何度も太郎さんに言われ、しかたなく一緒に記念写真を撮ることを了解してくれた。ウェディングドレスを着て、太郎さんと並んで写真を撮るだけ。それがすべてだと思っていた。

一方、桃子さんは式場探しを始めた。千恵さんが喜びそうな場所を思い浮かべながら結婚情報誌をめくり、候補を15〜16カ所に絞った。そしてそのすべてに一軒一軒電話をかけていった。千恵さんの体調を考えると、なるべく早くドレスを着させてあげたい。桃子さんが最初に考えたのは1ヶ月先、ゴールデンウィーク頃の計画実施だった。しかし、結婚式場の予約は通常半年から1年前に行うもの。どんなに急でも3ヶ月はかかる。桃子さんの問い合わせにほとんどの結婚式場は難色を示した。なかには千恵さんが置かれた状況を詳しく説明した途端、急に態度を硬化させた式場もあった。結局、見学までこぎ着けたのは3カ所。そのうちの1カ所で4月28日なら挙式が可能なことがわかった。

桃子さんは喜んですぐに千恵さんにメールを打った。

✉桃子→千恵（3月31日）

「4月28日なら教会でウェディングドレス着られるよ。
どうする？」

そのメールを千恵さんが受け取ったのは3月31日。親族と太郎さんが「余命1ヶ月」と告げられた翌日のことだった。千恵さんは病室に来ていた叔母の加代子さんに自分の思いを打ち明けてみた。

「あのさ、加代ちゃん。私ウェディングドレス着て写真撮りたいんだけど、いいかな？」

「ウェディングドレス？」

「着てみたいな……と思って。着られないかもしれないから……」

その言葉を聞いて加代子さんは戸惑った。余命のことは伝えていないのになぜ千恵はこんなことを言い出すんだろう……。

「私は反対じゃないよ。千恵がやりたければいいんじゃない？」

「そう？　4月28日なら教会で撮影できるらしいんだけど……」

千恵さんが話した日付に加代子さんははっとした。

「4月28日？　1ヶ月くらい先だよね……。そんな先だと体調がその日いいかどうかわからないじゃない。調子のいい日に近くの写真スタジオにぱっと行って撮影すればいいんじゃないかしら？」

「そうか……。そうだよね……」

千恵さんは桃子さんに返信のメールを送った。

✉千恵→桃子（3月31日　14：19）

「色々調べてくれてありがとう。
でも体調が安定してなくて
今からの予定は難しいのが現状。
日程を決めたとしてもその日に私がどうなってるか、
全然わからない。どうしよう？」

後ろ向きな返信に桃子さんは戸惑いを隠せなかった。そしてしばらくすると、千恵さんから「私、やっぱりあきらめる」と連絡が入った。

桃子さんは太郎さんに連絡を取った。すると太郎さんもひどく沈んだ声をしていた。

太郎さんは余命宣告については明言しなかったものの、その話しぶりから桃子さんは千恵さんの体調が想像よりもはるかに悪いことを感じ取った。少なくとも明らかだったのは「4月28日では間に合わない」ということだった。桃子さんはショックだった。体調がどんどん悪くなるのはわかっていたが、よもや「1ヶ月先はわからない」という状態になっているとは思いもしなかった。いや考えてみれば、だからこそ千恵さんはドレスを着たいと言ったのではないか。さまざまな思いが頭を巡った。写真撮影とサプライズ結婚式の計画を実行するべきか、断念するべきか。それを太郎さんに聞くと、太郎さんはこう答えた。

「もしできるなら俺は絶対やってあげたいんだよ。あきらめるって言ったかもしれないけど、千恵は絶対着たいと思ってるはずだし。俺はやってあげたい」

その言葉を聞いて桃子さんは再び気合が入った。先のことはわからない。でも、今なら千恵ちゃんにウェディングドレスを着させてあげられる。桃子さんは再度結婚式場をあたり始めた。今度の狙いは「1週間以内」だった。

「時間がないんです。なんとか今週中にお願いできないでしょうか？」。常識的には無理な相談であることは桃子さんも承知のうえだった。当然、次々に断られた。なかには「2週間後なら対応できるんですが」と言われた所もあったが、桃子さんは妥協しなかった。

そして、何件目かの問い合わせで待ち望んでいた答えが受話器の向こうから聞こえた。「わかりました。できる限りのことをさせていただきます」。空いていたのは3日後、4月5日だった。桃子さんは信じられない思いでいた。無理な相談に応じてくれたのが東京・青山のセントグレース大聖堂だったからだ。オープンしてまもないこの式場は、東京でも特に人気の結婚式場だった。千恵さんの喜ぶ顔が目に浮かんだ。

その時の思いを桃子さんは後にこう語っている。
「すごく人気の所だし、私としては千恵ちゃんに雰囲気がぴったりの場所、千恵ちゃんが絶対喜んでくれる場所だと思っていたので、すごく嬉しかったです」

「4月5日にウェディングドレスが着られるよ」。桃子さんは千恵さんに伝えた。あまりに急な話で不審に思うのではないかと心配し「今調子がいいから今撮っちゃえばいいなと思って。人気の教会だから5月と6月は全然空いてないんだって。4月5日しかチャンスがないんだ」と嘘をついた。

式場側は契約や費用の支払いを柔軟に対応すると言ってくれた。しかし、肝心なのは本人の意志だった。桃子さんは千恵さんにこうけしかけた。

「千恵ちゃんがやりたい、と言わないとまわりが動かないからね。とにかくすぐお父さんとおばさんにOKをもらって」

桃子さんの強い口調に千恵さんは思わず「わかった！」と答えた。

正式に予約を入れたのは式の2日前、4月3日だった。

太郎さんは桃子さんからの「通告」をこう振り返る。

「桃子さんから連絡があって『あさってやるから空けておくように』と言われてびっくりしました。でも病院の中では絶対にあきらめてしまうようなことをやってあげたいと思っていたので、実行できると聞いた時は本当に嬉しかったです」

結婚式のアイデアにも太郎さんは全面的に賛成した。

「千恵を驚かせることができる、絶対喜んでくれると思いました。自分一人じゃ絶対できないことだし、みんなが力を合わせてやってあげられるので、本当に楽しみにしていました」

こうして教会での写真撮影とサプライズ結婚式が決まった。もちろん千恵さんは、ウェディングドレスを着て写真を撮るだけだと思っていた。

千恵さんはその夜、長い間更新していなかったブログに書き込みをした。

再入院　2007年4月3日

知ってる人も知らない人も、わたくし再び入院中です。
今回はちょっと長引いていて、気付けばかれこれ1ヵ月入院生活を送ってます。
今まで、病気のことはあえて話す必要はないと思ってましたが、
今はもうそんなことはどうでもいい。
むしろ隠すようなことをしてるほうが、不自然だと気付きました。

だからと言って、私こんなに大変なの！なんてことを書く気はさらさらありません。

私には毎日2時間以上かけてお見舞いに来てくれる父がいる。

娘同然の扱いをしてくれる叔母がいる。

私を含め、親族一同に頼りにされている頼もしい彼がいる。

岩手や栃木、遠方から遥々顔を見に来てくれる親戚がいる。

ストーカーのように毎日私を気遣ってくれる友達がいる。

私がどんなわがままを言ったとしても嫌いになれないと言ってくれる友達がいる。

まるで本当のママのように不思議なパワーをもって私を包んでくれる素敵な人がいる。

ここが病院であることをすっかり忘れるくらいのガールズトークができる仲間がいる。

「ウェディングドレス着て写真撮りたい」の一言で一生懸命手配してくれた友達がいる。

4月5日に私の体調次第ですが、ウェディングドレスを着る夢が叶いそうです。

幸せです。

結婚式前日

取材クルーが千恵さんの病室を訪ねた4月4日は、「式場に予約を入れた翌日」であり、「サプライズ結婚式の前日」でもあった。

桃子さんから計画を聞いていた樫元記者はそのことをインタビューの際に千恵さんに尋ねてみた。

――Q　なんか友達がいろいろやってくれているみたいだね？

「はい。すごくありがたいです。なんか女王様気分ですよ。ウフフ」

千恵さんはほほえみながら言葉を続けた。

「みんないろいろわがままを聞いてくれるのでありがたいです」

――Q　ウェディングドレスは前から着たかったの？

「ここに入ってから着たいと思うようになった。『もう着られないかもしれない』って思った時に、『着ておきたい。絶対着ておきたい』って思いましたね」

――Q　そう思ったのは最近のこと？

「もう本当に最近です。友達に『着たいんだよね』って言ったのは1〜2週間前だったと思うんですよ。そしたらみんな必死にいろいろ調べてくれて」

千恵さんははにかんでいた。明るい表情だった。「もう着られないかもしれない」

彼女なりの覚悟を示したその言葉が、その笑顔とはどうしても不釣り合いだった。

――Q『着たい』と思ったのは気分が滅入っちゃったのかな？

「うん。『もう後がないじゃん』って思ったら、やりたかったことを……。女の子として憧れていたので……。ドレス着て、それを残しておきたいなって……」

「もう後がない」「残しておきたい」。千恵さんは確かにそう言った。

千恵さんの爪に小さな白い薔薇の花が一つ、また一つと載せられていった。お洒落が大好きな千恵さんにとって久々のネイルアートだった。

「ブライダルネイル、完成！」

千恵さんははじけるような笑顔を見せた。そして両手を前に差し出し、華やかな装飾が施された爪を微笑みながらじっと見ていた。

「きれいだね。気分はどうですか？」。記者の問いかけに千恵さんは大きな声で答えた。

「わー、もう嬉しいですー」

そして再び両手に目を落とし、独り言のようにこう言った。

「これぞ楽しみですよね、女の子の」

病室は明るかった。

「昨日の夕飯ハンバーグだったじゃん。この部屋だからじゃないかな？」

「メニュー違うの？　グレードアップされたのかな？　すごい！」

「そんなことないかな。あはははは」

笑いながら桃子さんとおしゃべりを続ける千恵さんの様子は、記者の目にはどうしても末期がん患者の姿に見えなかった。

「あの感じならまだまだ大丈夫ですよね」

赤坂に戻る取材車の中で樫元記者はカメラマンの福田に言った。

「よく余命3ヶ月って言って半年大丈夫とか、半年って言って1年大丈夫ってあるじゃないですか。千恵さんもあの調子なら夏ぐらいまでは問題なくいけると思いますよ」

千恵さんの病状を詳しく知らないまま、樫元は希望的観測を述べた。

その時、おもむろに激しい雨が車のガラスを打ちつけ始めた。あれよあれよという間に土砂降りになり、新橋界隈でも車道に水がたまり始めた。報道局のカメラデスクから「東京で雹《ひょう》が降るらしいから、外に出ているクルーは撮影して帰ってきて」との指示が来た。霞が関の外務省の前で車を止め、福田は雨の様子を撮影した。レインコートが風でばたばたと音を立てた。桜の花を散らす春の嵐。冷たい雨だった。

ちょうどその頃、わずか800メートルしか離れていない場所で、太郎さんはある探し物をしていた。

4月5日

「写真撮影」の日の朝。前日の嵐とはうってかわって青空が広がった。

国立がんセンターの16階にある千恵さんの病室は賑やかな雰囲気になっていた。どう見ても病院には不釣り合いな派手なドレスを着た女性たちが出入りし、入り口では作業服を着た男性が太郎さんに酸素ボンベの使用方法を説明していた。

千恵さんはベッドの上で横になり、ブライダルメイクを施してもらっていた。丁寧にファンデーションが塗られ、チークが施される。千恵さんはアイラインを少し濃い目に引いてもらうようにお願いした。メイクをするのは入院の日の朝以来。しかも一生残る大事な写真の撮影日だ。手鏡を顔の前に出された千恵さんは真剣な表情で仕上がり具合をチェックした。

ヘアメイクをするためにベッドの上で上半身を起こした千恵さんはどことなくうつろな表情を見せた。ドライヤーで髪をブローしている間も目は病室の白い壁をボーッと見つめたまま。実は千恵さんの体調はあまり思わしくなかった。

メイクが崩れないように注意しながら酸素ボンベから伸びたチューブを鼻の下にあ

て、ゆっくりと深呼吸する。太郎さんがパジャマからスーツに着替える間、千恵さんはベッドに取り付けられたテーブルの上にうつぶせになり少し苦しそうに息をしていた。

千恵さんの体調が悪ければすべての計画は中止することにしていた。ベッドのそばには父親の貞士さんが心配そうな表情をして立っていた。「写真撮影のため」として病院からは外出許可をもらい、持っていくべき薬もすべて準備したが、実際に千恵さんの体調がどこまでもつのかはまったくわからなかった。

2日前、「千恵ちゃんが教会で写真撮影する。来られる人は来てください」という突然の連絡を受けた友人や親族が数人病室に来ていた。千恵さんは後頭部に氷枕をあててじっとしたままだった。誰もが「中止」を意識し始めたその時だった。千恵さんは「行こうか」と小さな声で言った。

車椅子に乗り、酸素ボンベとともに病室を出た。千恵さんと同世代の若い看護師たちが「行ってらっしゃい」と笑顔で見送った。

貞士さんのワンボックスカーに乗り込み病院を出発した千恵さんだったが、車の中でさらに苦しそうな表情になった。頭を座席のヘッドレストにあてじっと目をつぶる。久しぶりの外出だったが千恵さんには車窓を楽しむ余裕はなかった。

「オプソ?」と太郎さんが聞いた。千恵さんが前の週から使い始めたモルヒネ系の鎮痛剤のことだった。「大丈夫か?」。貞士さんも声をかけた。

千恵さんは目をあけて、「でも、もうちょっとだよね。大丈夫」と答えた。

道案内のため助手席に座っていた桃子さんは大きな不安を抱いていた。病院の近くの写真スタジオでいいという親族の意見を押しのけて、チャペルでの撮影を強行したのは自分だった。もし千恵ちゃんに何かあれば自分の責任だ。わずか20分ほどの青山までの道がはてしなく遠く思えた。

車は表参道を少し入った路地で止まった。太郎さんの助けを借りながら車を降りた千恵さんはぐったりした様子だった。

「つらかったかな?」と聞いた記者に「車酔いです」と千恵さんは答えた。

車椅子に乗ったまま千恵さんは青山の路地を進んだ。酸素ボンベが収まった小さな台車を太郎さんが引いた。これから結婚式を挙げるカップルだとは、すれ違う誰も思わなかったに違いない。しかし、抜けるような青空と大きな樹木の緑が静かに二人を祝福していた。次の瞬間、千恵さんの表情が見違えるように明るく変わった。

「すごい！」

目に飛び込んできたのは、青空に向かってそびえ立つ尖塔と、装飾が施された鉄扉、そして木製の扉の前に広がる何段もの階段。千恵さんが夢に描いていたとおりのチャペルだった。その門を千恵さんは笑顔でくぐった。


「おめでとうございます」

笑顔の係員に案内され、千恵さんと太郎さんは控え室に入った。最初にしたことは薬を飲むことだった。千恵さんの薬をすべて把握している太郎さんが袋の中から薬を取り出し、千恵さんに飲ませた。

「どうですか、教会は？」

記者の問いかけに、千恵さんは満面の笑みで答えた。

「すごい素敵です。なんか自分のじゃない感じ。友達の結婚式に来た気がする」

「今の気持ちはいかがですか？」

「全然実感ない……というか、感激して言葉も出てきません」

同じ質問を太郎さんにも聞いた。

「太郎さんは今お気持ちいかがですか？」

太郎さんは予めそう言おうと決めていたかのように、力強く、はっきりと言った。

「千恵の幸せは僕の幸せなので、嬉しいです」

その時、千恵さんは握っていた太郎さんの手に顔を近づけ、そっと頬を寄せた。


ずっと二人で歩いてきた道だった。

交際の始まりは、同時にがんとの闘いの始まりだった。

髪が抜け、吐き気に苦しみ、乳房も失った。

不安と恐怖に襲われた。

つらい時、苦しい時、いつも太郎さんが手をさしのべてくれた。

一時は光も差した。
努力して、努力して、切り開いた道だった。
将来像も描いた。
望んだのは24歳の女性としてごく普通の生活。
それ以上は何も望まなかった。
なのにがんが再発。
骨と肺にも転移し、
酸素ボンベなしには息をするのも苦しくなった。
あるのは絶望だけのように思えた。
でも太郎さんがずっとそばにいてくれた。
しっかりと手を握り続けてくれた。
その彼の隣で小さな願いが叶おうとしている。
自分なりの覚悟を決めて言ったわがまま。
それが今実現しようとしている。

幸せなこの瞬間をずっと心にとどめておこうとするかのように、そして太郎さんのぬくもりを永遠に心に刻もうとしているかのように、千恵さんはずっと、ずっと、太郎さんの手に頬を寄せていた。

花嫁の覚悟

控え室の扉が閉じられた。薬が効いてくるまで千恵さんはいったん体を横たえることになった。

1時間ほどの時間が流れた。カメラマンの福田は何気なく控え室の前を通った。すると、扉が40センチほど開いたままになっていて、中にウェディングドレスを着終えた千恵さんが鏡に向かっているのが見えた。思わず福田はカメラを構えた。

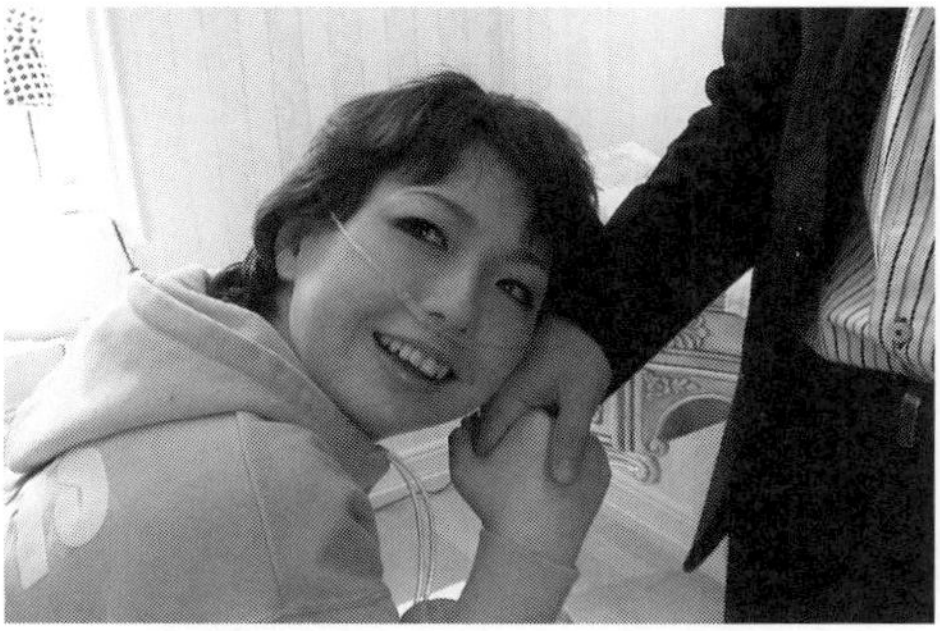

磨りガラスを通して入ってくる光が千恵さんを柔らかく照らしていた。ちょうどティアラを載せ、ベールをつけるところだった。鏡に映る自分の姿を見て嬉しそうにほほえむ横顔が見えた。カメラはその千恵さんの表情をとらえた。真珠の小さなイヤリングが形のいい耳を控えめに飾っていた。淡く幻想的な風景だった。千恵さんの横に置かれた酸素ボンベとそこから鼻の下に延びるチューブだけがその光景にあまりにも不釣り合いだった。カメラは酸素ボンベから千恵さんの顔にパーンアップした。その瞬間だった。千恵さんは笑顔で酸素のチューブを外した。

そして千恵さんは式場へと向かった。

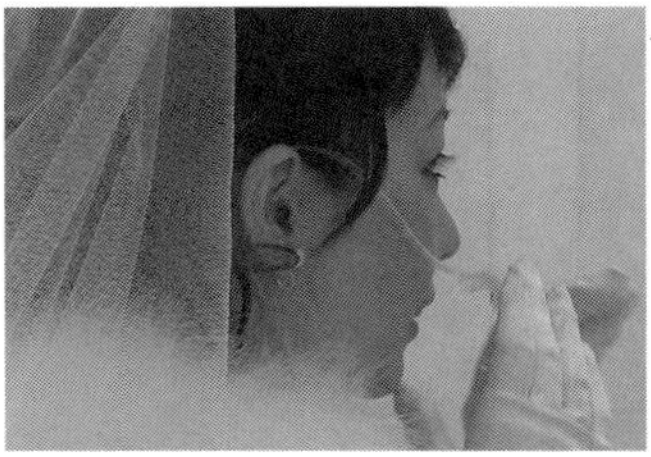

控え室から聖堂に続く10メートルほどの廊下を純白のウエディングドレスに身を包んだ千恵さんが進んだ。しっかりとした足取りで、背筋をまっすぐに伸ばし、凛とした姿だった。わずか1時間半前、同じ廊下を車椅子に乗って進んだ女性とは到底思えなかった。

扉を開けると、そこには柔らかい光に包まれた荘厳な空間が広がっていた。ドーム型の高い天井を淡いライトが照らし、ステンドグラスを通して入ってくる外光が温かさを運び込んでいた。何列にも並ぶ長椅子の端には白い百合が添えられ、千恵さんを優しく迎えてくれた。そして、バージンロードの手前には白いタキシード姿の太郎さんが花嫁の到着を待っていた。太郎さんは思わず息をのんだ。ウェディングドレス姿の千恵さんは本当に輝いて見えた。

「では、早速始めましょう」

カメラマンが二人をバージンロードに案内した。祭壇を背にして千恵さんと太郎さんは並び、腕を組んだ。誰が見てもお似合いで、幸せそうなカップルだった。シャッターの音が広い聖堂に二度三度と響き、ストロボが、ボッ、ボッと二人の笑顔を照らした。

「新郎さん、もっとしっかり笑って」

可憐な姿の恋人を横に、太郎さんはいつの間にか硬くなっていた。

「今の笑顔よかった。もう一枚！」

カメラマンの声に乗せられて、二人の表情はどんどん明るくなっていった。千恵さんは太郎さんと出会った頃、コンパニオンとしてカメラのフラッシュを浴びていた。あの頃の記憶を取り戻したのだろうか、撮影が進むに連れて、千恵さんの笑顔は堂々としたものになった。

酸素のチューブを外し、20分ほどが経った。いざという時のために酸素ボンベはすぐそばに用意してあった。しかし、まるで時が経つのを忘れたかのように、千恵さんはずっと可憐な笑顔を振りまいていた。

二人の写真を撮り終えようとしたその時だった。黒い礼服を着た貞士さんがチャペルに入ってきた。娘のドレス姿を見た父は思わず「わーっ」と声をあげた。その表情は本当に嬉しそうだった。

「二人で挟んじゃいましょう」

カメラマンに促された貞士さんは、千恵さんの隣に立った。二回、三回とシャッターが押された。

「さっきの笑顔素敵だったので、もう一度、ラスト」

そのかけ声とともに、最後のフラッシュが光った。

貞士さんは横にいる娘の姿を改めて見つめ、「よかった。最高」と言った。

「ウェディングドレス姿いかがですか？」記者が貞士さんに聞くと、千恵さんも「言葉がない？」と聞いた。

貞士さんは笑顔で「言葉が出ません」と娘の言葉を復唱した。

新郎の太郎さんにも同じ質問をした。

「可愛いと思いました。久々の笑顔ですね」と言った。

その言葉に応じるように、千恵さんも「本当だね、久々の笑顔。笑った気がする」と改めて笑顔を見せた。

撮影は終わった。

ウェディングドレスを着て写真が撮りたい。千恵さんの願いは叶った。

しかし、夢のような時間にはまだ続きがあった。


控え室に戻った千恵さんは、太郎さんや貞士さんが病院に戻る準備をせず、そわそわしていることに気づいた。そして、そこに神父が入ってきた。

「もしかして……」。千恵さんはこの時初めて何かが行われようとしていることに気づいた。そして、それがどのようなことかも思い当たる節があった。

千恵さんは1週間前のことを思い出していた。病室に来ていた桃子さんに「ウェディングドレス着て写真を撮りたい」と言った時、桃子さんとこんな会話があった。

「千恵ちゃん、どうせ写真撮るなら教会で写真撮ろうよ。もしかしたら結婚式みたいなのもできるかもよ」

「えー、私は一人でウェディングドレスを着て写真が撮れればそれでいいの。結婚式っぽいことはしたくない」

「どうして？　太郎ちゃん喜ぶと思うよ」

「太郎に迷惑がかかるよ。私はたぶんいつかいなくなっちゃうから……。太郎が将来結婚する人に申し訳ない」

「そうか……。わかった……」

太郎さんにも病室でこんなことを言われた。

「式みたいなこともできるらしいね」

「それは今じゃなくていい。だいたい千恵は自分がドレスを着られればいいんだから」

「でもどうせ着るならちょっと式っぽいことやってもいいと思うけどなぁ」
「いいの、そういうのは」

神父が控え室に入ってきて「おめでとうございます」と言った。
「なんで神父さんがいるの？」。千恵さんは聞いた。
太郎さんは言った。「これから結婚式をするよ」
その言葉を聞いた千恵さんは信じられないという顔をしながら嬉しそうに笑った。

そして、結婚式が始まった。

結婚式

突然の連絡にもかかわらず、親族と友人たちが式場に集まった。その数18人。誰もが余命1ヶ月とは知らないまでも、千恵さんの状態がかなり厳しいことをわかっていた。そして、これほど突然に結婚式を強行することが、事態の深刻さを示していることを全員が理解していた。ドレスアップした列席者たちは複雑な思いを抱きながらチャペルの席に着いた。

賛美歌が流れ、大きな木製の扉が開いた。まず神父が現れ、続いて少し照れた表情の太郎さんが入場してきた。友人たちが冷やかしながらカメラのシャッターを押す。太郎さんは祭壇の前で向きを変えると、再び閉じられた木製の扉を見つめた。一人で待っている間は寂しいものだ、と太郎さんは思った。

パイプオルガンが「アヴェ・マリア」を奏で始めた。誰もが息をのんだ。ゆっくりと扉が開き、バージンロードを一筋の光が照らした。逆光の中に純白のウェディングドレスが浮かび上がる。千恵さんは少し俯き加減に立っていた。清楚で可憐な花嫁姿だった。隣には花嫁の父・貞士さん。少し戸惑ったような表情をしていた。父にとっても突然の結婚式だった。告げられたのは3日前。それでも千恵が喜んでくれるなら、と快く承諾した。

父に手を引かれ、花嫁はバージンロードをゆっくりと、しかししっかりした足取りで進んだ。そこにはがんと闘う患者ではなく、一人の24歳の女性がいた。

友人たちはみな笑顔だった。誰もが千恵さんのために笑顔で迎えてあげようと思っていた。それでも涙はこみ上げてきた。千恵さんの姿はただただ綺麗だった。

貞士さんは24年前の感動を思い出していた。幼い千恵さんと一緒に追いかけっこをした浜辺の光景を思い出していた。そして二人で支え合った日々を……。

バージンロードの終わりに太郎さんが待っていた。ずっと支え続けてくれた新郎に父は小さく会釈をして花嫁を託した。太郎さんに手を引かれて、千恵さんは祭壇の前の小さな階段を一段、また一段と上った。その後ろ姿を見て、誰もが涙をこらえきれなかった。この世に神というものが存在するのであれば、

このまま時間を止めてほしい。誰もが祈った。

式は誓いの儀式もなければキスもないシンプルなものだった。あくまでもこれは予行演習で本番は元気になってからすればいい。太郎さんは千恵さんにそう告げていた。賛美歌の斉唱が行われ、続いて神父が聖書の一節を朗読した。それを聞きながら太郎さんはちらりと隣を見た。椅子に座った千恵さんは太郎さんを見上げて微笑んでいた。ステンドグラスから差し込む淡い光がベールの奥の千恵さんの顔を明るく照らしていた。列席者たちは幸せそうな二人の後ろ姿をじっと見つめていた。貞士さんはたびたび眼鏡を外してはハンカチで目頭を押さえた。友人たちはこの感動の時間を永遠に残すために何度もカメラのシャッターを押した。

その時だった。神父がおもむろに千恵さんに立ち上がるよう促し、お互いに向かい合うようにと言った。そして新郎に向かってこう告げた。

「どうぞ新郎様、ベールを上げてください」

太郎さんは、千恵さんのベールをそっと持ち上げた。そして神父はあるものを二人の前に差し出した。実は、千恵さんにはもう一つのサプライズが用意されていたのだ。

「あさって結婚式をするよ」と桃子さんに告げられた時、太郎さんはあることを思いついた。千恵さんが以前、結婚情報誌を見ながらそこに載っている指輪を指さし、「これかわいいなぁ。こういうのが好みだな」と言っていたことを思い出したのだ。あの指輪をプレゼントすれば絶対喜んでくれるはず。太郎さんはすぐに結婚情報誌を探し出し、千恵さんが指さしていたページを開いた。そこにはシャネルのシンプルなエンゲージリングが載っていた。これだ。これを千恵にプレゼントしよう。

翌日、太郎さんは会社を早退して、近くのシャネルの専門店やデパート、ジュエリーショップをあたった。しかし人気のその指輪はどこも品切れだった。

太郎さんは考えを変え、シャネルの本社に問い合わせをした。

「その指輪が手に入るなら日本全国どこにでも買いに行くので教えてください」

太郎さんは聞いた。すると、一店舗だけ取り扱っている店が見つかった。それは幸運にも病院からわずかしか離れていない場所、日比谷にある帝国ホテルのブライダルショップだった。

太郎さんは激しい雷雨の中、帝国ホテルに向かった。そして千恵さんが憧れていた指輪を見つけた。ようやく手に入れたリングはその店に残っていた最後の一つだった。

「新郎様、ベールを上げてください」

神父の一言で太郎さんがベールを持ち上げた。千恵さんは何が起きようとしているのかわからず、「何？　何？」と太郎さんに聞いた。神父が二人の前に何かを差し出した。それを見て千恵さんは驚きのあまり言葉を失った。

「受け取ってほしい。俺買ってきたんだ……」。太郎さんは千恵さんにそう告げてリングを左手の薬指にはめた。その時、千恵さんの目から大粒の涙がこぼれた。

聖堂に大きな拍手が響き渡った。参列者の誰もが二人の幸せを心から祝福した。

式が終わり、参列者はチャペルの外に出て大階段の端に並んだ。フラワーシャワーのための花が配られ、新郎新婦が退場してくるのを待った。式場のスタッフも全員が階段の下に並んだ。少しでも大きな拍手で迎えてあげようという心配りだった。

しばらくの静寂が訪れた。その時、桃子さんがハンカチを顔にあてて激しく泣き始めた。千恵さんの前では絶対に涙を見せないと誓っていた桃子さんだったが、突き上げるような感情を抑えることができなかった。つられるように一人、また一人と嗚咽《おえつ》した。誰の顔も涙でぐちゃぐちゃになった。このままがんが消えてなくなってしまえばいい。そんな奇跡を祈らずにはいられなかった。

扉が開き、新郎・太郎さんと新婦・千恵さんが並んで出てきた。明るい日差しに純白のウェディングドレスがまぶしいほどに輝いた。白やピンクの花びらが舞った。千恵さんはその中を笑顔で通り抜けた。この日見せた一番の笑顔だった。誰もが嬉しかった。

千恵さんの笑顔が嬉しかった。病気かもしれない、残りわずかの命かもしれない。しかし、目の前の千恵さんは確実に幸せだった。太郎さん、貞士さん、親族、友人たち、誰もが涙をこらえながら千恵さんと共に感じる幸せをかみしめていた。

二人を囲んだ記念撮影は長い時間続いた。誰もが我先にと千恵さんの横に並んだ。「私が千恵の隣。お父さんは太郎の隣に行って！」と言って加代子さんが千恵さんと腕を組み、貞士さんが「え？　俺、太郎ちゃんの隣なの？」と笑った。なぜだかみんながはしゃいでいた。幸せで楽しそうなその光景を道行く人たちがうらやましそうに見ていた。不思議と千恵さんの体調はずっと安定していた。車椅子と酸素ボンベを忘れられるひとときがそこにはあった。

こうしてサプライズの連続だった結婚式は幕を閉じた。

控え室に戻った千恵さんはまだ気持ちが高ぶっていた。水を飲んで息を整えた千恵さんと太郎さんに取材クルーは話を聞いた。

——Q　ドレス着た感想はいかがですか？

「最高です。感動して、感激しまくりです。ずっとずっとハイテンションで大変でしたけど。感無量ってこのことだなと……」。千恵さんは答えた。

——Q　ウェディングドレスは女性の夢というけど、着られてよかったですか？

「ええ、もう着られてよかったです」。そう言って千恵さんは改めてドレスを眺めた。

——Q　結婚式はどうでした？

「びっくりなプレゼントもあって。言葉にできないくらい嬉しいです」

——Q　何をするか全然知らなかったの？

「全然知らなくて、サプライズの連続でした。写真を撮るという希望を出しただけなのに、何倍にもなって返ってきたので……」

千恵さんの答えを聞きながら、太郎さんはしてやったりという笑顔を見せた。

——Q　指輪も知らなかったの？

「もらえると思っていなかったので。急に祭壇で渡されてびっくりして……」

――Q　指輪は特別かな？

「これが一番嬉しかったです」。千恵さんはそう言ってにっこりと笑った。

――Q　左手の薬指にリングが入りました。感想は？

「嬉しいの一言ですませるのがもったいない。感激で涙が止まりません」

――Q　準備してくれた家族や友人にはどんな思いですか？

「もう感謝ですね。一生かけてありがとうを言い続けます。もう、すごいありがたいです」

記者は続いて太郎さんに聞いた。

――Q　ウェディングドレス姿の千恵さんを見ていかがですか？

「かわいい以外の言葉がありません」。にやけながら太郎さんは言った。

――Q　最初にドレス姿を見た時どう思いました？

「元気がよくて、治ったと思いました」と答えた後、太郎さんは千恵さんに向かって「今日は全然違うよね」と言った。

「本当。椅子とか座らなくて大丈夫だよと思って……」と千恵さんは応じた。

写真撮影と結婚式で1時間以上も車椅子を使わず、酸素のチューブを外したままだった。しかし、千恵さんは疲れるどころか、見違えるように元気になっていた。

――Q　すっかり表情もよくなったね

「はい、もう治ったんじゃないかな」。千恵さんは太郎さんのほうを向きながら声を弾ませた。

「治った?」。太郎さんも冗談っぽく聞いた。

「本当に元気になりました」。千恵さんはかみしめるようにその言葉を言った。

――Q　闘病に励みになるね

「はい。元気になって、頑張ります」

――Q　では最後に、彼に一言

記者が促すと、千恵さんは太郎さんを見上げて言った。

「ありがとうございました。本当に」

本当に、と千恵さんは強調した。言葉が見つからないけれど、本当に感謝していることをわかってほしい。その思いが伝わってきた。

次は太郎さんの番だった。

――Q　では、花嫁に一言

するると太郎さんは突然、半分冗談っぽく、しかし半分は本気の表情でこんなことを言った。

「お嫁さんになって」

「ここでプロポーズ？　ハハハハ。ちょっと順番がねぇ」

突然のプロポーズを千恵さんは笑って返した。ここでインタビューは終了。取材クルーは二人の時間を邪魔しないように控え室を後にした。

チャペルの入り口には着替えを終えた父・貞士さんがいた。花嫁の父としての感想をこう語った。

「本当に最高でしたね。本当に感無量です。本人は死を知ってるかどうかわからないけど、あのまま元気になれたら最高なんだけどね。みなさんのパワーをいただいて元気になったと思います。本当にもう言葉が出ませんね、感無量です」

サプライズ結婚式の仕掛け人、桃子さんも願いを込めるようこう言った。

「今日の姿を見ていると本当に元気なので、このままよい方向に向かってくれればいいと思います」
誰もが笑顔でチャペルを後にした。空には夕焼けが広がり始めていた。

この日のことを、千恵さんはブログでこう綴った。

4月5日、写真撮りました。思う存分。
写真撮影だと思っていた私に、とんでもないサプライズがありました。
チャペルで式を挙げました。
神父さんの前で結婚指輪をもらいました。
この式は私側の親族と一部の友人のみで正式なものではないけれど、
「感激」以上の言葉を知ってる方いたら教えてください。
私はありえない感動を味わいました。
DVDもあります。
大量の写真を見たい方は、築地の国立がんセンター中央病院まで☆

そしてブログはこんな言葉で結ばれていた。

みなさんに明日がくることは奇跡です。
それを知ってるだけで、日常は幸せなことだらけで溢れています。

第4章

4月10日

結婚式の5日後。樫元記者が病室を訪れると、千恵さんはウェディングドレス姿の写真を太郎さんと一緒に嬉しそうに見ていた。一番大きな写真は太郎さんと二人で撮った記念写真。それ以外にも友人たちからとても整理しきれないほど多くのスナップが贈られ、千恵さんは喜びを反すうするかのようにそれらの写真を見つめていた。

調子がよさそうな千恵さんを見て、樫元は少しインタビューをしてもいいかと聞いた。「いいですよ」。千恵さんは明るく答えた。

「今日は調子はどうですか?」。小型のカメラを回しながら記者は聞いた。

「今日は調子がすごくいいです。昨日の夜まではすごく痛くて苦しくて、もがいてたんですけど……。何の薬が効いたのか……」

「日によって違うのかな?」

「突然ですね。朝よくても、夕方調子悪くなったりするので」

「結婚式の後はどうでした?」

「教会に行った日はずっと元気でした。でも週末はぐわっと来ましたね」

そこまで話したところだった。突然、千恵さんの表情が曇った。話し始めてまだ1分しか経っていなかった。

「今もなんか調子が悪くなってきちゃった」と千恵さんがつぶやいた。たった今「調子がすごくいい」と答えたばかりの千恵さんが苦しみ始めた。

「痛い!」、千恵さんは目で太郎さんを呼んだ。

「痛くなってきちゃった気がする……。12時……。だめ、早いか……。どうしようか……」

鎮痛剤は4時間ごとに飲むことになっていた。次の時間まではまだ1時間もあった。

千恵さんの体に手を添えながら太郎さんが「痛い？」と聞いた。

「ちょっと痛くなりそう。このまま放っておくとやばい」

「オプソ？」、太郎さんは急な痛みの時に飲む鎮痛剤の名前をあげた。

「オプソかな……」、千恵さんはそうつぶやきながら体を横たえた。インタビューは中止とした。

モルヒネ

チャペルで「本当に元気になりました」と笑顔で語った千恵さんだったが、がんは確実に進行していた。痛みのケアに用いられる医療用麻薬は日々投与量が増やされ、同時により効果の強いものへと変わっていった。

痛みだけではない。がんが肺に転移した千恵さんは呼吸の苦しみも大きな問題だった。4月9日に撮られたレントゲンには左の肺全体が真っ白な状態で写っていた。白い影は胸に発生した水を示していた。末期の肺がん患者はまるで水におぼれているような状態だと言う人もいる。千恵さんの肺はまさにそんな状態だった。

医師は呼吸の苦しみがこのまま増すようであれば「鎮静剤」を使用することを貞士さんと太郎さんに勧めた。医師の言う鎮静剤とは、「モルヒネの点滴」を意味していた。

医師の説明を聞いた瞬間、貞士さんの頭には9年前の情景がよみがえっていた。妻・雅代さんのがんが進行し激しい痛みが襲った時、医師にお願いしたのがモルヒネの点滴だった。痛みは治まったが、意識が朦朧とし、話ができなくなった。そしてまもなく静かに息を引き取った。「モルヒネの点滴」は、貞士さんにはまるで「終わりの始まり」の宣言のように思えた。


モルヒネはアヘンに含まれる有機化合物で、服用すると脳に作用し強い鎮痛効果をもたらす。その効果は絶大で、がんの疼痛管理、つまり激しい痛みを緩和する手段として、日本でも近年広く使用されるようになってきた。痛みを取る目的で適切に使用される限り意識の低下や呼吸抑制は起きず、患者は痛みから解放されて日常生活を問題なく送ることが可能になる。WHO（世界保健機関）は痛みが弱い初期の段階から積極的に使用することを指針として示しているほどで、モルヒネはがん患者にとって福音と呼ぶ人もいる。また、モルヒネは呼吸困難に対する作用を持っているため、「おぼれたような状態」の患者に対しては呼吸の苦しみを緩和するための処置としても投与される。

しかし、モルヒネに対する正確な理解や正しい使用法が日本で広がったのはここ10年ほどで、かつては「死が近づいたときに使う麻薬」「使うと意識が低下する」との認識が医師の間でさえあった。そして雅代さんの最期を間近で見ていた貞士さんと千恵さんはモルヒネに対する漠然とした恐れをいだいていた。

貞士さんと太郎さんは医師が言った「モルヒネ点滴の使用」について千恵さんに伝えた。すると千恵さんは、はっきりと答えた。

「モルヒネの点滴は絶対に嫌だ。絶対にやりたくない」

貞士さんは、妻の雅代さんが息を引き取った時、母の姿をじっと見ていた千恵さんの姿を思い出した。

その後もたびたび千恵さんを説得しようとしたが、千恵さんの意思は頑なだった。

「絶対にモルヒネの点滴は嫌だ」

一切妥協はしない、という強い口調で千恵さんは言った。

4月10日夜。樫元記者は神奈川県三浦市にある千恵さんの実家を訪ねた。貞士さんが東京の国立がんセンターから自宅に戻るのは毎日夜10時頃。取材はそれから行われた。

疲れた表情の貞士さんに案内されたのは畳敷きの14畳の居間。広いこの部屋で貞士さんは週に数回、弟子たちに民謡と三味線を教えるのだと言った。かつて、妻の雅代さんと娘の千恵さんと一緒にテーブルを囲み、いろんな話をした場所でもあった。見上げると、9年前に亡くなった雅代さんの遺影が壁にかけられていた。

貞士さんはたばこに火をつけ、深く吸った。テレビをつけ、自動録画された時代劇を再生した。「ずっと見てない

からずいぶんたまっちゃってるな。これもだいぶ前の放送だね」と貞士さんはつぶやいた。それは千恵さんが入院した1ヶ月前に放送されたものだった。

「ここにいるといろいろ考えちゃうから、テレビゲームで麻雀をやってなるべく考えないようにするんですよ」と言った。夜遅く自宅に戻り、日付が変わる頃までテレビゲームをし、一人広い家に眠り、朝起きてまた病院に向かう。その生活を1ヶ月と数日続けてきた。


千恵さんがいつも弾いていたピアノの前で、貞士さんはインタビューに応じてくれた。病室での千恵さんの状態を聞くと、すぐに痛みの話になった。

「今はとにかく痛み。痛んで痛んでしょうがないんですよ。昨日説明があって、今の薬が効かなくなるともうモルヒネしかないですね、って……。するともう完全にアウトですよね……。今の薬が効かなくなったら千恵もわかってくるんじゃないかな……」

毎日千恵さんの背中をさすっている貞士さんは、あることで病気の進行を感じていた。

「背中を押してあげると『楽だ楽だ』って言うんだけど、もう背中がでこぼこなんだよね。まさか娘は……と思っているんだけど……。覚悟せざるを得ないんだけど、信じられないよね、実際の話……。そんなこと信じられない……」

千恵さんは自身の状況をどう思っているのだろうか。それを聞くと、貞士さんは少し考えた後で言った。

「今本人は調子いい時は『これで治るんじゃないかな』って思ってるんじゃないかな。今日も調子よかったから、『こんなに調子がよかったらもう少しで家に帰れるな』と千恵に言ったんです。そしたら『うん、頑張る』って言ってた。千恵は治ると思って『頑張る、頑張る』って言ってるから……。本人は頑張るつもりでいると思う……」

貞士さんの目が涙でにじんだ。

——今、千恵さんにしてあげたいことは何でしょうか？

最後に記者が尋ねると貞士さんは、

「とにかくおいしいものを食べさせてあげたいね。旅行は無理だろうから、あとは食べたいものを食べさせてやろうかなと……。そんなものだよね。そんなことしかしてあげられない」と言って無理に笑顔を作ろうとした。

風

翌日、病室で貞士さんが千恵さんの背中をさすっていた。父が娘にしてあげられるただ一つの「手当て」だった。目をつぶったままじっとマッサージを受ける千恵さんが「気持ちいい」とつぶやくと、貞士さんは「ハンドパワーだな」と笑った。

およそ10分間、貞士さんは千恵さんの背中をさすり続けた。

「お父さんのマッサージは効いた？」。記者が聞くと、

「はい。もう極楽。指が太いからすごい気持ちいい手なんですよ」と千恵さんは答えた。それを聞いて貞士さんは「またいつでもやるからね」と笑った。


千恵さんは、朝方激しい痛みに襲われた、と貞士さんに言った。

「薬飲んだでしょう？」。貞士さんが聞いた。

「でも全然痛みが取れなくて……。ずっとつらかった、昨日の夜は……。痛くてパニックになっちゃうんだよね、明け方4時、5時、6時くらいに。のたうち回って、泣き叫んで。ぐぎゃー！　痛い！　って……。もうその声でナースコールなしでも看護

師さんが来てくれるくらい」

「太郎ちゃん横にいてくれてるんでしょう?」

「太郎もいるし、看護師さんもいるけど……。太郎は寝られないよ全然……」

「太郎ちゃん、疲れたって言ってたな」

「疲れるよ、寝られないもん、千恵が咳とかしてたら……。一緒にいたいけど、一緒にいると二人して疲れちゃうよね」

千恵さんはそう言って髪の毛をぐしゃぐしゃに掻いた。ベッドの脇に座った貞士さんは「早く治るといいな……」とつぶやき、千恵さんは「うん……」と答えた。

父のマッサージで気分がよくなった千恵さんは「散歩に行こう」と提案した。お気に入りの黄色のパーカーを着て車椅子に乗り、「レッツゴー!」とかけ声をかけた。病室に来ていた友人の怜子さんが車椅子を押し、病室を出た。

建物を出ると、外は少し強めの風が吹いていた。桜の花は散ってしまっていたが、代わって広がり始めた木々の緑と、そして何よりも風の暖かさが新しい季節の到来を感じさせた。千恵さんはしばらく目をつぶり、頬にあたる風を味わっていた。そして目を閉じたまま「あーいい空気。気持ちいいー」と小さな声で言った。

散歩の目的地は病院から150メートルほど離れたコンビニエンスストアだった。千恵さんはよく怜子さんや貞士さんに車椅子を押してもらい、この店に行くのだという。途中いつも犬の散歩をする女性がいて、犬の頭をなでさせてもらうのが千恵さんにとっては日常の大きな楽しみの一つだったが、この日は残念ながらその女性の姿はなかった。

コンビニに入って千恵さんはまずアイスクリームの冷蔵庫をのぞき込んだ。薬の副作用で食欲がない時や少し調子が悪い時、千恵さんはアイスクリームやシャーベットを口にしていた。冷たい触感がのどを潤し、すっと気持ちいい感覚がするのだという。そのため、千恵さんの病室の冷蔵庫はいつもお気に入りのレモンのシャーベットでいっぱいになっていた。

コンビニの前で貞士さんはたばこを吹かしながら女性たちの買い物が終わるのを待っていた。実はこの時、貞士さんは考えていることがあった。千恵さんの体調がよければ、夕方に外に連れ出し大好物のステーキを食べさせてあげようと思っていたのだ。

「ああやって急によくなったりするんですよね。このまま調子がよければいいね」と貞士さんは記者に言った。

コンビニから出てきた時、千恵さんの表情はぱっと明るかった。

「相当気分がよくなりました」と千恵さんが言うと、

「酸素いらないいんじゃないの?」と貞士さんが返した。

「いらないいんじゃないかなー、と思うんだけどー、外すと血中の酸素濃度がどうしても低くなっちゃうんだよねぇ」。笑いながら千恵さんは言った。

「これはおいしい!」。買ったばかりのみかんのシャーベットを口にしながら千恵さんは笑った。怜子さんが車椅子を押し、貞士さんが横に並んで三人で進んだ。わずか150メートルの車椅子での散歩。千恵さんにとってはかけがえのないひとときだった。

病室に戻った千恵さんはすっかり気分がよくなっていた。

「なんか、一気によくなったね」。記者が声をかけると、千恵さんは自分でも不思議だ、というような表情をして言った。

「うん。よくなりました。よかった」

「散歩は毎日しているの？」

「毎日してます。外に出ると元気になる、ってことがわかったので。毎日外に出るようにしています」


記者は前日中断せざるを得なかったインタビューをここで再開した。

――Q　結婚式からもう1週間かな。どうですか？　その後の調子は？

「その後、気持ちが明るくなってきてますね。その前はふさぎ込むことが多かったんですけど、まぁ楽しいことがたくさんあったからというのもあるし。結構前向きに頑張れていると思います」

――Q　気持ちの持ちようで全然違うのかな？

「全然違いますね。パニックになっても『大丈夫、大丈夫』って口に出すだけで違うし、『落ち着いて』って口に出すだけで結構違いますね」

――Q　痛みはどうかな？

「痛みは、明け方が一番つらくて、その時はもうほとんど記憶にないくらい痛くなっちゃうんですけど、急に痛くなるからどうしようもない。息もできなくなっちゃうし。その時はさすがにつらいです。怖いですね、明け方は」

この日、病室には太郎さんの姿はなかった。

「久々に会社に行きました。寂しいけど、また夜来てくれるので楽しみに待っています」と言って千恵さんはほほえんだ。

――Q　ずっと一緒にいてくれているもんね

「本当にそう。薬のことや身のまわりのことも、どうしたらいいか一番知っているし。なんだろう。二人で一つじゃないけど……、いないと困りますね」。再び笑みを見せた。

記者は太郎さんがいない場所で聞こうと思っていた質問をした。

――Q　彼に対しては今どういう思いですか？

その問いに千恵さんは「えーっ」と少し照れた表情をして、こう言った。

「ずっと考えてて、日本語の中にないんですよ。彼の存在を表す言葉がなくて、見つからなくて。何なんだろうって、ずっと考えているんですけどね。ただの『愛』じゃないし、『かけがえのない人』じゃ軽すぎるし、本当に見つからないです、ぴったりの言葉が。うーん。困ってます」。千恵さんはにっこりと笑った。

――Q　ずいぶん感謝しているでしょう?

「もう感謝感謝。感謝しきれない。『感謝』という言葉もそんな言葉じゃ申し訳ない。足りなくて。みんなに言いたいことなんですけどね。もっと文才があったらなあと思うことがありますね」。千恵さんはそう言って再びにっこりと笑った。

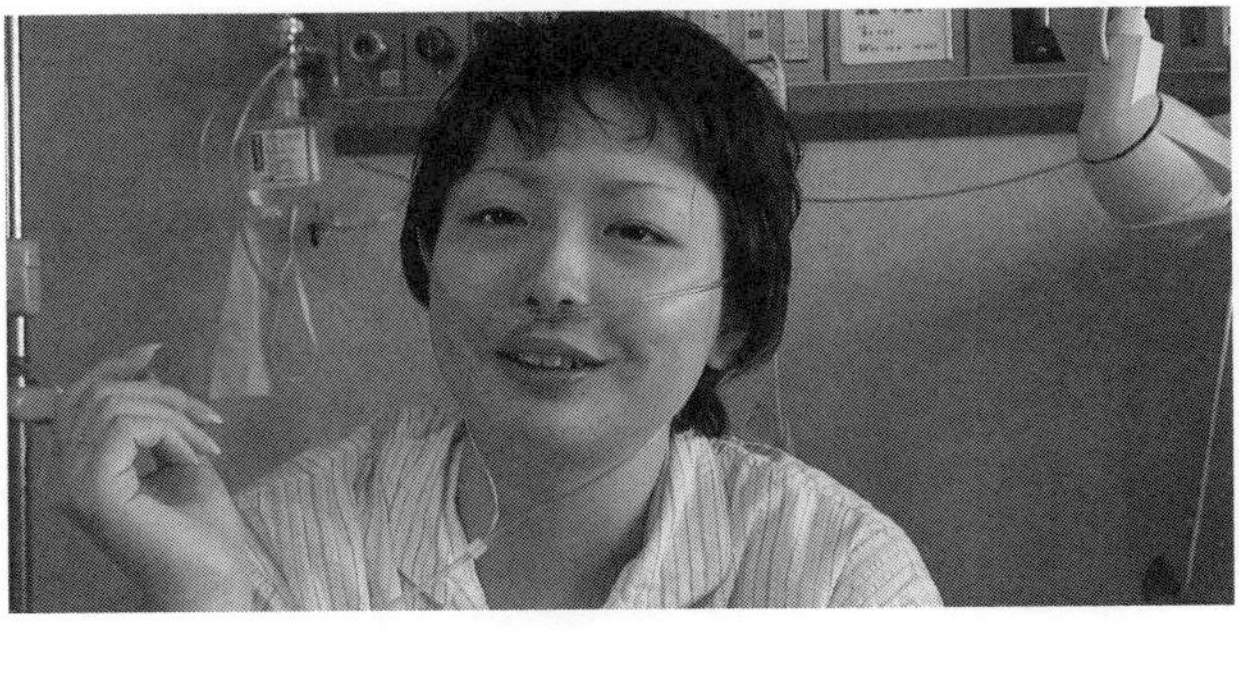

最後の写真

その日の夕方、友人たちに囲まれながら千恵さんは車椅子で病室を後にした。服はパジャマではなく白地に黒い花柄のワンピースと黒のカーディガン。結婚式以来1週間ぶりにメイクもしていた。「ばっちり決まったね」と記者が声をかけると千恵さんは両手でピースサインを作った。

小雨が降るなか、タクシーは銀座の焼肉店に向かった。千恵さんの体調が安定していたため、急きょみんなで千恵さんの大好きなステーキを食べに行くことになったのだ。貞士さんが「せめてこれだけは叶えてあげたい」と考えていた千恵さんの願いだった。

「かんぱーい！」

大きな声でグラスを合わせた。食事会の参加者は貞士さんと従姉のひとみさん、友人三人の計六人。この日のディナーはステーキとシーフードの鉄板焼きフルコースだった。サラダとスープを味わい、次々に出てくる食材をまるで初めて鉄板焼きに来た子供のように眺めた。

「すごい！　ホタテもある！」

店に行く前は「そんなに食べられない」と言っていた千恵さんだったが、驚くほどよく食べ、驚くほど話をし、驚くほど笑った。おいしいご飯も嬉しかったが、たくさんの人と食卓を囲んでわいわい話をしながら食事できることが千恵さんには何よりも嬉しかった。同じ食事でも、病室のベッドの上で一人食べる食事とはまったく違うものだった。話したいこと、聞きたいことは山ほどあった。とりとめのない会話に花が咲いた。


しばらく食事をしていると千恵さんが大きな声をあげて慌て始めた。

「あれ？　今日ってもしかして11日？　やばい、どうしよう」

急に顔を伏せた千恵さんが次に言った言葉に全員が笑った。

「今日、太郎の誕生日だよ。朝から何も言ってないよー」

千恵さんは両手で顔を覆った。いつもそばにいてくれる太郎さんに感謝の気持ちを伝えるには最良の日だったにもかかわらず、千恵さんはすっかり忘れてしまっていた。

「お父さん、どうしよう?」と甘えた声で言った千恵さんに、貞士さんは「そんなこと言ったたって俺にはどうもできないよ」と笑って返した。その場が大きな笑いに包まれた。

そのわずか数分後だった。千恵さんに異変が起きた。今まで笑っていた千恵さんがすっと体を長椅子に横たえた。見ると目を閉じてぐったりとしている。その場にいた誰もが何か悪い事態が起きたことを瞬時に感じた。

ふと酸素ボンベを見ると、残りの酸素量を示す針がゼロを示していた。「千恵ちゃん、これゼロになってる。これって酸素がないってこと?」と友人の一人が聞くと、慌てて貞士さんが少し離れた場所に置いていた替えの酸素ボンベを取りに走った。ボンベを台車に乗せ替え、千恵さんの鼻の下に延びるチューブを新しいボンベに取り付けた。横になったまま千恵さんはゆっくりと深呼吸し、その姿を全員が心配そうに見守った。

いつも薬や酸素ボンベの面倒をみている太郎さんは仕事でいなかった。注意しなくてはいけないと誰もが思っていたが、楽しい会話が進むにつれてついそのことが頭から抜け落ちていた。

5分ほどが経った。千恵さんはゆっくりと体を起こした。そして明るい調子で「あぁびっくりした。今まで味わったことのない感じだった。あーびっくりした」と言った。無理をしているようにも見えたが、凍りついた場の雰囲気はまた温かいものへと変わった。

「お肉だよ、千恵！」
「わー！」
運ばれてきたメインディッシュのステーキを前に千恵さんは満面の笑みを見せた。大きめに切った一切れを口に運び、目を閉じながらゆっくりと味わった。
「ステーキの味はどう？」と聞いた記者に「おいしいですー」と千恵さんは答えた。そして「幸せ……」と付け加えた。二切れほど食べ終わったところで一人で小さく拍手をした千恵さんの姿を、みんなが笑顔で見ていた。

店を出る前に千恵さんは写真を撮った。大好きなみんなに囲まれ、笑顔でピースサインを作った。

そしてこれが、千恵さんが写った最後の写真になった。

焼肉店から病院に戻ると、千恵さんの体調は一変した。突然、激しい咳に襲われたのだ。

「ごほっ、ごほっ、ごほっ、ごほっ」。重く濁った咳の音が病室に鈍く響いた。千恵さんはメイクをしたままの状態でベッドに倒れ込んだ。つい先ほどまで笑顔で食卓を囲んでいた貞士さんと友人たちがベッドの脇で黙ったまま心配そうに見守る。従姉のひとみさんが千恵さんの背中をさすり、続けて貞士さんも背中をさするが、咳はいっこうに止まる気配はなかった。何とかしてあげたい。でも何もしてあげられない。誰もが無力感を感じた。薬を飲んでしばらくすると千恵さんの重い咳はようやく止まったが、それまでの時間は果てしなく長く感じられた。

4月13日

「余命1ヶ月」の宣告から2週間が経った。あっという間に過ぎたこれまでの2週間と同じ時間が流れる頃、千恵さんは「余命期限」を迎える。頭ではわかっていても、それを起こりうる事実として受け入れている人は誰もいなかった。

この日、千恵さんの病室にはいつものように友人たちが集まってきていた。コンパニオン時代からの友人の桃子さんと麻衣さん。そして短大で一緒だった怜子さん。4人はいつものようにおしゃべりを続けていた。

怜子さんは病室にあったビデオカメラを回した。「調子がいい千恵ちゃんでーす」その声に千恵さんは「いぇい！　元気です」と言って両手でピースサインを作った。この日、千恵さんの調子は2日前の異変が信じられないほどによく、カメラの前で柔らかい笑顔を見せていた。

「えへへ」と言いながら千恵さんはあるものを取り出した。「コーム？」、桃子さんが言った。「買って来ちゃった」。千恵さんが嬉しそうに笑った。

「髪の毛伸びてきたから買って来ちゃった。そろそろとかせるかなぁと思って」

そう言って髪の毛に櫛《くし》を通した。抗がん剤の影響で抜け落ちた髪は仕事に復帰する頃には生えそろっていたが、それがさらに伸びていよいよ櫛が必要な長さにまで伸びてきていた。

「でも本当に今日は調子がよくて嬉しい」、千恵さんが言った。

「私も嬉しい」、怜子さんが返した。

実は千恵さんの調子がいいのにはある理由があった。千恵さんは黒いTシャツの袖をまくり、腕に貼られた湿布薬のような薬を見せながら言った。

「この貼る薬にしてから、相性がいいらしくてすごく調子がいいの。夜も前は1時間ごとに痛みで起きてたんだけど、これ貼ってから朝まで寝られるようになったし」

千恵さんの腕に貼られていたのは、フェンタニルという合成麻薬の貼り薬だった。鎮痛効果はモルヒネより強く、副作用は吐き気が少ないという特徴があり、千恵さんはこの薬を数日前から使用していた。この薬が効果を発揮していることを理解しつつも、あまりに調子がいい自分の様子に千恵さん自身が信じられない思いでいた。

「なんでだろう。何かがいいから調子がいいんだよね。その何かがわかればさ、それを毎日していれば毎日調子いいわけじゃん。何がいいんだろう……」

何でもいい。回復へのきっかけをつかみたい。千恵さんはそのきっかけを必死で探していた。

その夜。遅くに病室に戻った太郎さんがビデオカメラを回した。最初のカットはアップになった千恵さんの顔。「桜パンダよ。似てる?」。そう言って千恵さんは友人がお見舞いに持ってきてくれたパンダのぬいぐるみを自分の顔の横に並べた。少したれた大きな瞳とふわふわした雰囲気を持った千恵さんは、まわりから「パンダ、パンダ」といつも冷やかされていた。

太郎さんはベッドの上から病室全体の撮影を続けた。自分が寝るための簡易ベッドが、カメラのフレームに入った。

「これが俺のベッド」と太郎さんは言った。

「かわいそう。幅1メートルくらいしかない」と千恵さんが合いの手を入れた。

その簡易ベッドの上に千恵さんが腰かける。

「人間がいればわかるでしょ。これだよ」

両手をベッドの幅に広げ、信じられないくらい狭い、という顔をして千恵さんがカメラを見上げた。

「でもね。思ったより寝られるよ」。太郎さんは言った。

「本当？」

そこまで言ったところで、千恵さんはおもむろに立ち上がり、自分のベッドの上に置いていた酸素のチューブを鼻の下に添えた。「ちょっと酸素、酸素……。命がけのレポートをしてしまった」と千恵さんはおどけた。

病室は二人きり。千恵さんが呼吸を整える間、ついたままのテレビの音だけが聞こえた。千恵さんは太郎さんを見上げながら言った。

「何を話そか？」

「うーん……」。しばし考えてから太郎さんはこう聞いた。

「毎日何やってるの？　病室で……」

その問いに千恵さんは一瞬考えを巡らせ、じっと太郎さんを見つめながら言った。

「生きてる」

「……そうか」

一瞬、太郎さんは言葉に詰まった。

「夕方はいろんな人が来て忙しいんだよね」

思わず当たり障りのない答えを返した。


「太郎は今何がしたい？」

今度は千恵さんが聞いた。

「俺？　千恵と遊びに行きたい」

「どこに行きたい？」

「んー……川！」

「修行？」

「あはは。そう修行に」

太郎さんはデートのたびに「忍者ごっこ」と称して「修行、修行」と言いながら遊んだことを思い出した。

「行こうね。今度はワンちゃんも一緒にね」

千恵さんが言った。

「そうだね。犬を飼おう。退院したらすぐに買ってあげるよ」

太郎さんの言葉に千恵さんの目が輝いた。

「本当に？　何がいいかなぁ」。千恵さんは犬の姿を頭に描いた。

「あ、一匹じゃなくてもいいよ。何匹でもいい」

その言葉に千恵さんは目を丸くした。「マジで？」

「大切に育てれば何匹でもいいよ」。太郎さんは優しく言った。

「えー、えー、困るぅ」。千恵さんは子供のような甘えた声を出した。

そして、しばし考えた後、言葉を続けた。

「ペキニーズ」

「いいよ。オス？　メス？」

「メス。あとトイプードル」

「いいよ」

「ペキニーズがメスで、トイプードルがオスで、名前は姫と王子。いいでしょ？」

「いいね」

「決定！　で、そのワンちゃん連れて、川で修行！」

おどけながら千恵さんは笑った。


太郎さんは信じられない思いで千恵さんの姿を見ていた。この笑顔が本当にもうすぐ消えてなくなってしまうのだろうか。本当に余命1ヶ月のその日がやってくるのだろうか。二人で犬と一緒に川に行き、散歩をしている姿は簡単に想像できた。しかし、2週間前に医師から告げられたことが現実になるということはまったく想像できなかった。

悪化

4月第3週に入ると、千恵さんの体調は急速に悪化していった。

17日。樫元記者が病室に顔を出すと、千恵さんはベッドで横になったまま「うーっ、うーっ」とうめき声をあげていた。ただ我慢するだけの声が病室に響く。呼吸がつらそうな様子で、息を吸って吐くたびに背中が大きく動いた。貞士さんがその背中をさすりながら、「なんでこんなに悪いんだろうね」とつぶやいた。

つい数日前まで友達とおしゃべりを楽しんでいた千恵さんだったが、体調がよかったのはわずかの間だけだった。痛みはある程度コントロールできていたが、呼吸のつらさが千恵さんを苦しめていた。

「ゴホッ、ゴホッ、ゴホッ、ゴホッ」。鈍い咳の音が響いた。千恵さんはおもむろに上半身を起こし、洗面台に体を向けた。痰は切っても切ってもあふれ出てきた。激しく咳き込む千恵さんの背中を貞士さんはさすり続けた。わずか12日前、チャペルで笑顔を見せていた娘が今ベッドの上で悶え苦しんでいる。貞士さんは目の前の現実を信じられない思いで見ていた。

何度も何度もうがいをする娘の背中をじっと見ていると、「背中……背中……」と千恵さんが言った。貞士さんは再び手を娘の背中に置き、ゆっくりと上下に動かし

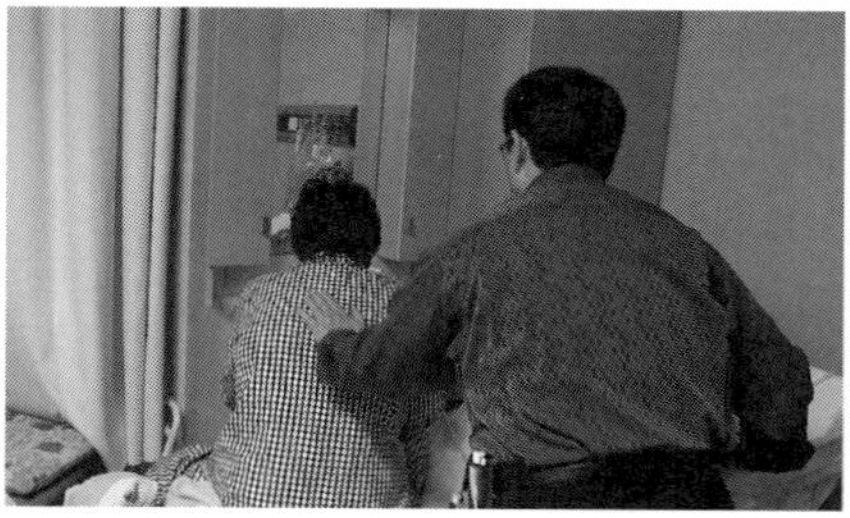

た。

本当にハンドパワーがあれば娘を少しでも楽にさせてあげるのに。貞士さんは自分のふがいなさを責めた。

この日、医師は千恵さんに改めてモルヒネの点滴を勧めてみた。しかし千恵さんは再び明確に拒否し、医師はやむを得ず気管支を広げる錠剤の薬を処方していた。


しばらくすると千恵さんの容体は落ち着き、眠りについた。記者は貞士さんと病室を離れ談話室に向かった。椅子に座るやいなや、貞士さんは大きなため息をついた。

「お医者さんも飲み薬でやるのはもう限界かな、って言ってるんですよ。あとは時間の問題。そうなると女房の時と同じだよね。千恵に『楽になるから』って言うんだけど、モルヒネの点滴は絶対やらせないんだよね……。でも薬が効かなくなって、我慢できないとなると、うんと言うしかなくなる…。そうなるとかわいそうですね…」

数日前に体調がよかった時は、千恵さんを家に連れて帰れるのではないかと貞士さんは本気で思ったという。もし家に帰ったら娘が望むことを一つでも多くやってあげたいと考えていた。13日前のインタビューで千恵さんは「お父さんと京都に行きたい」

と語った。その思いを聞いた貞士さんは京都旅行のパンフレットを病室に持ち込んで「治ったら京都のどこを回ろうか」と千恵さんを励ましていた。京都は無理だとしても、どこかに連れていってあげられればと願っていた。

でも、と貞士さんは言った。

「やっぱりがんのほうが強くて、そういう余裕がない。どんどん悪くなっていくから、これじゃどこにも連れて行けないなと思ってね……。本人は治るんだと思って一所懸命言われたとおりに薬を飲んで、これ食べなきゃ元気出ないよと言われて全部食べる。本人は治りたい一心で一所懸命やっている。だからそれだけにかわいそうで……」

貞士さんは暗い表情のまましばらく俯いていたが、突然顔を上げて「俺、いまだに嘘をついてるんですよ」と笑った。

「『治るから』ってね。千恵に『どうして?』と聞かれても、『とにかく治るから、もう少しで治るから』と……。それだけですね。あとは余計なこと言うと変に思われるから。とにかく『頑張れ頑張れ』って声をかけるだけです」

なんとか千恵さんの力になってあげたいと貞士さんは励ましの言葉をかけ続けてい

た。しかし、悪化する一方の娘の容体を見て言葉を失うことも増えてきたという。

「胸に詰まってる痛いの取って！　ってもがいてるからね。それ見て俺、何も言えなくて……。なんで治ってくれないのかなと思ってね……。あの娘がいなくなると考えるだけでぞっとする……。本当に亡くなったらどうしようと思って。全然想像つかないし……」。そう話した貞士さんの目に涙が溢れてきた。

「奇跡を待ってね。奇跡が起きないかと毎日思ってるんですよ」

貞士さんは雲が低くたれ込めた灰色の空をじっと見ていた。


病室に戻ってしばらくすると、千恵さんが目を覚ました。

「さっきよりちょっと落ち着いたかな？」と記者が聞くと黙ったまま小さく頷いた。冷蔵庫に入ったレモンのシャーベットを貞士さんが取り出し「食べる？」と聞くと、千恵さんは再び小さく頷いた。千恵さんが氷をかみ砕くコリコリという音が病室に響いた。「音がいいな。コリコリって」。貞士さんは笑いながら千恵さんに言った。


この日の夜は、仕事で遅くなる太郎さんの代わりに叔母の加代子さんが病室に来た。

栃木から毎日のように病室を訪れ、千恵さんの世話をしていた。9年前に母を亡くしてから、千恵さんにとっては母親代わりの存在だった。

「今日はどうだった?」と加代子さんが聞くと、千恵さんは「大変だった……。やっと落ち着いた……。あんまりしゃべれない……」と答えた。

「しゃべらなくていいからじっとしてて」と加代子さんは言い、千恵さんの背中をさすった。千恵さんはつらそうな様子だったが、加代子さんが買ってきたチーズケーキを見て「かわいい。おいしそう」と言った。ケーキを手に取り、少しずつ口に運んだ千恵さんは「おいしい」と言って少しほほえんだ。

夜、加代子さんに千恵さんはこんな話をしたという。

「加代ちゃん。夜眠れてる?」

「大丈夫よ。ちゃんと寝られてるから」

「本当に?」

「千恵、あんたに心配されたくないよ。私は千恵のそばにいたいだけなんだから。余計な心配しなくていいの」

「でも咳とかすると起きちゃうでしょ?」

「千恵に気を遣わせるために来てるんじゃないんだから。そんなこと言わないの」

「加代ちゃん、ありがとね……」

「いいんだよ。私は年をとったら千恵に面倒を見てもらえるように、今のうちに千恵の面倒を見ておくんだから」

「わかった、その時は頑張る。私ね、絶対上手に見られると思う。だって病気になった人の気持ちはすごくわかるもん」

加代子さんは本当にその日が来てほしいと心から願った。


「でも、すごいね」、千恵さんは言った。

「何が?」。加代子さんは聞いた。

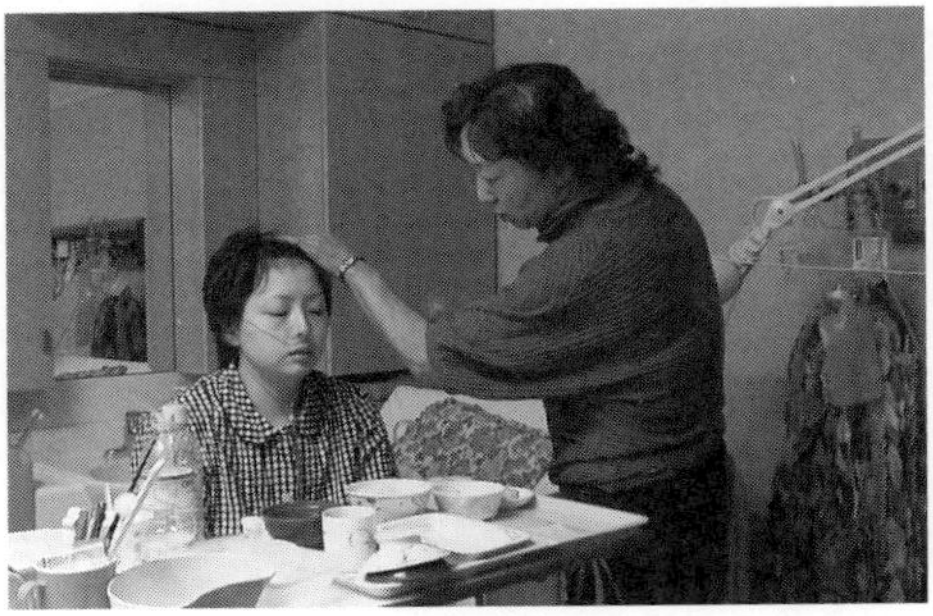

「生きてるって奇跡だよね。いろんな人に支えられて生きてるんだよね。もう私、元気になったらすごい人間になれると思うよ」

「そうだね。すごい人間に成長した千恵を早く見なくちゃね……」

加代子さんは涙を我慢しながらそう答えるのが精一杯だった。

「のほほんとしてるように見えるでしょう？　天然ぼけみたいな感じで。でもね、千恵は芯がとっても強いんです」

千恵さんの性格について、加代子さんは後にこう語った。「そしていつも人に気を遣う子だった」と言った。加代子さんにとっても千恵さんは「自慢の娘」だった。

第5章

悲嘆

末期がん患者の緩和ケアでは「鎮静（セデーション）」という処置が取られることがある。「鎮静」はあらゆる手段を講じても痛みや呼吸困難を緩和できない場合、意識を意図的に下げることで痛みや苦しみを緩和させる処置のことで、緩和ケアの最終的手段とされる。国立がんセンターでは麻酔薬の一つであるミダゾラムを使って鎮静の処置が行われる。

4月19日。医師は呼吸の苦しみを緩和するため、千恵さんにミダゾラムの投与を提案した。この日、千恵さんが突然「息ができない」と訴え、パニック状態に陥ったことがきっかけだった。呼吸の苦しさは限界に近づいていた。しかし、母の最期を覚えている千恵さんは、点滴で薬を投与し強制的に意識レベルを下げる、ということに強い恐怖を抱いていた。これまで頑なにモルヒネの点滴を拒んだのもそのためだった。意識がなくなったらみんなと話をすることさえできなくなる。そして、二度と目を開けることがなくなるのではないか。千恵さんは強く抵抗したが、医師が説得を続けたところ「寝る間だけ使用する」ということで千恵さんは承諾した。

この時、千恵さんはそれまでにないほどの強い口調で太郎さんに言った。

「もしこれで私が眠ったままになったら絶対起こしてね。朝8時に起きたいから、眠り続けていたら太郎が針を抜いて千恵を起こしてね。絶対約束してね」と。

ミダゾラムの量は日に日に増えた。日中は意識があったものの、千恵さんは深く沈み込むようになっていった。20日からは痛みの緩和のため、背中から脊髄の周囲に針を刺し継続的に鎮痛剤を送り込む「硬膜外麻酔」という処置がとられた。25日には日中もミダゾラムの投与が始まった。投与量をコントロールすることで意識の低下は抑えられたが、それでも多くの時間横になったまま眠っているような状態が続いた。

この頃、千恵さんが変わった。

毎日のように千恵さんを見舞っていた桃子さんが病室を訪れると、千恵さんにあることを言われた。

「桃ちゃんとか、まわりの人の発言とか行動とか見てると、すごく落ち込む」

「どうして？」

「みんなの様子見てたら、私の病気がどれだけ悪いかわかるもん……」

数日後、桃子さんが病室を訪ねると、千恵さんは首を振って「会いたくない」と意思表示した。翌日もその翌日も面会に訪れたが、千恵さんは会おうとしなかった。

千恵さんから拒否されているような気がして、桃子さんは深く落ち込んだ。そしてそれよりも千恵さんがそんな心理状態になるほど体が弱ってしまったことがつらかった。千恵さんを元気づけるために何もやってあげられない自分が悔しかった。

太郎さんはこんなことを千恵さんに聞かれた。

「どうして抗がん剤をしないの？　もう治らないのかな？」

「もちろん治るさ。今はお休みの期間なんだよ」

「痛みを和らげる先生は一生懸命やってくれてるけど、がんを治す先生は何もしてくれない」

「そうじゃないって。また時間をおいて治療をするんだよ」。太郎さんは必死に言った。

太郎さんの目にも千恵さんの容体が急速に悪化していくのがはっきりとわかった。散歩ができなくなり、立ち上がれなくなり、眠ったような状態が少しずつ長くなった。そして何よりも、あの愛くるしい笑顔が消えたことが、千恵さんの現状を示していた。余命1ヶ月と聞きながらもそれを信じず、絶対に治る方法があるはずだと思い続けてきた太郎さんも、前向きな考えだけでは駄目かもしれない、と思い始めた。


深夜、千恵さんが薬の効果で深い眠りについた時、太郎さんと加代子さんは病室を抜け出して、病院の玄関脇にあるベンチに座り、答えのない議論を繰り返した。

「僕は千恵に何かしてあげたいと思うんだよ。千恵は生きようとしているんだから。何か方法があるんじゃないのかな？　丸山ワクチンとか……。抗がん剤は本当に効か

ないのかな？」と太郎さんが言うと、

「でも千恵のあの状態見ると、もう何をやっても駄目かもしれない。それだったらこれ以上千恵を苦しませたくないと思う」と加代子さんは言った。

話は決まって余命告知のことになった。

太郎さんは言った。

「何の話もしないで逝っちゃうのかな？　もしそうならかわいそうだよね。もしかしたら何かもっと話しておきたいということがあるかもしれないよ」

それを聞いて加代子さんはこう諭した。

「でも、だからといって千恵にもう助からないんだよって言える？　余命告知をしないって決めた時、千恵が聞きたくないって言ったんだよ。千恵が決めたんだよ。だから千恵には伝えなくていいと思う。そのまま逝かせてあげようよ」

毎晩、太郎さんと加代子さんはこうした堂々巡りの会話を繰り返した。残された時間を千恵さんに教えてあげるべきではないか、と迷い続ける太郎さんを加代子さんがこう言って説得したこともあった。

「もしかしたら千恵は心残りがあるかもしれない。何も言えなかったって思うかもしれないけど、それはしょうがない。残された私たちがずっと背負っていけばいい」

4月27日

「余命1ヶ月」の宣告からちょうど4週間が経った。記者が部屋を訪れると、ミダゾラムの影響もあって、千恵さんは半分眠ったような状態でベッドに横たわっていた。貞士さんはベッドの脇で千恵さんの手を取り、じっと座っていた。

ふと千恵さんが何かをつぶやいた。「……」

しかし貞士さんには何を言っているのかわからなかった。「何?」と聞いた。

「……」。千恵さんは再び何か言葉を発した。

「寒いの?」と貞士さんが聞く。しかし千恵さんが伝えようとしていることは寒さではなかった。千恵さんは背中に送り込む鎮痛剤のスイッチを押してほしいと伝えていたのだ。貞士さんは困った顔をして「何だろう?」と首をひねった。

「まだ押せない?」。何度か聞き直して、貞士さんは千恵さんの言葉をようやく聞き

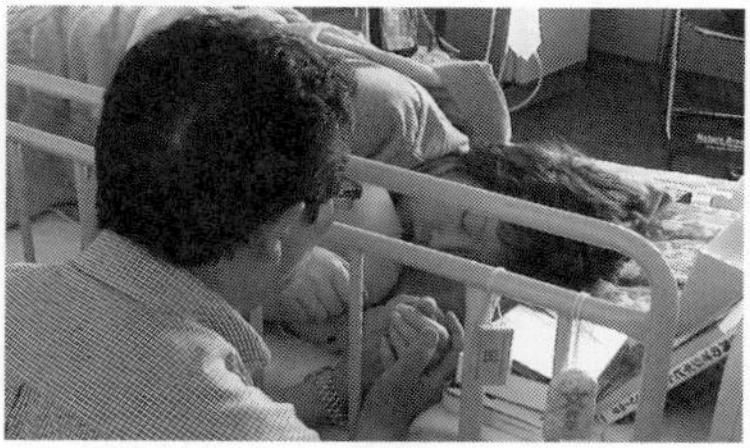

取ることができた。

鎮痛剤を送り込む機械は患者の安全のため30分以上の間隔を置かなければ薬剤が出ない設定になっていた。しかしこの頃、千恵さんはそれよりも早く痛みを感じるようになっていた。父は鎮痛剤が出るボタンを押してみたが、30分間隔の設定がかかった機械は、まるで千恵さんの痛みにはまったく関心がないかのように反応を示さなかった。

結局、硬膜外腔に送り込む薬は通常の麻酔薬ではもはや十分に効かなくなったと判断され、この日からモルヒネを麻酔剤と一緒に硬膜外腔に投与することになった。

点滴ではなかったものの、モルヒネを投与したためか、その後千恵さんの状態は改善した。上半身を起こして話ができるようになり、少しではあったが笑顔も戻った。

千恵さんに面会を拒まれた桃子さんは、それでも毎日病院を訪れていた。今日は会えるのではないか、と願って部屋の前まで行くものの、そのたびに貞士さんや加代子さんに「今日もちょっと会いたくないみたい」と言われた。千恵さんに会えない日は1週間になろうとしていた。

桃子さんは自分の思いを千恵さんに伝えようと手紙を書いた。「千恵ちゃんに会えなくて本当に寂しいです。毎日大変なのにそれでも私たちをいつも迎え入れてくれたことには本当に感謝しています。何もしてあげられないけど、千恵ちゃんに会いたいと毎日思っています」。その手紙を持って病室の前に行き、加代子さんに渡した。手紙を持って病室に入った加代子さんは、すぐに出てきて明るい顔で言った。

「千恵が会いたいって」

久しぶりに桃子さんが病室に入ると千恵さんは泣いていた。顔を真っ赤にして泣いていた。そして桃子さんに「ごめんね」と言った。桃子さんも泣いた。

「これからも来ていい？」と桃子さんが尋ねると、

「体調が悪くて話せない時もあるけど、来てくれるのは嬉しいから。これからも会いに来てくれる？」と千恵さんは言った。

「もちろん」、桃子さんは溢れてくる涙をこらえながら笑顔で答えた。

別れ

ゴールデンウィークに入ると、千恵さんの病室は連日賑やかになった。いつも来てくれる面々だけではなく、遠方から親戚が来たり懐かしい友達が顔を見せたりした。

4月下旬には深く深く沈んでいた千恵さんは、吹っ切れたのか、立ち直ったのか、現実を受け入れたのか、理由は定かではないが気を取り直したように明るく日々の生活を送っていた。そして自分のことよりもむしろまわりのことを心配し、頭痛持ちの太郎さんに「薬飲んだ？　ちゃんと飲まなきゃダメよ」と言ったり、風邪をひいた怜子さんに「調子どう？　ゆっくり休みなね」と言ったりしていた。

5月1日、病室にはいつもの友人たちが集まっていた。千恵さんは横になったままだったが、友人たちとのおしゃべりを楽しんでいた。

「パンダのシュークリーム食べた？」。ベッドの横に座った桃子さんが聞いた。

「パンダ食べたよ」。千恵さんは横になったまま答えた。

「すごーい。嬉しい」。桃子さんはにっこり笑った。

「共食いだよ」。麻衣さんが冗談を言った。

「はははは」。全員が笑った。

「ますます似ちゃうよ」。麻衣さんが茶化すと、

「馬鹿にされてる」と千恵さんは冗談っぽく言った。

「はははは」。また全員が笑った。

病室からは長い時間笑い声が聞こえてきた。楽しい仲間と楽しい話ができることが千恵さんにとっては何よりも幸せだった。

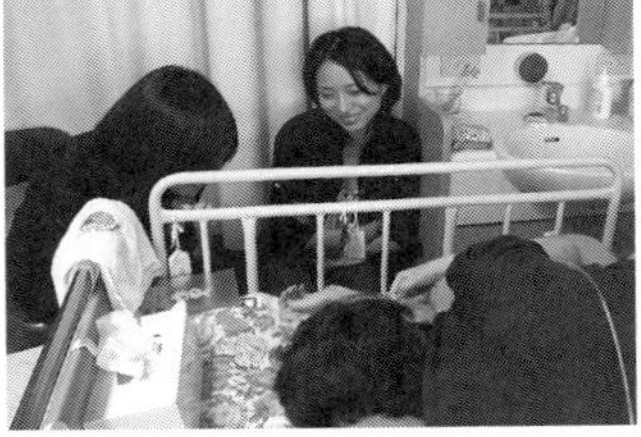

ゴールデンウィークの数日間、千恵さんの容体はとても安定していた。横になっている時間が多かったが、それでも時には上半身を起こし、トイレにも自分で歩いて行った。そして誰かが病室に来れば横になったまま長い時間いろいろな話をした。なぜこの時期に調子が上向いたのかについて、医師は後に「なぜだか理由はわからない」と振り返った。「きっとみんなが来てくれたからだよ」と貞士さんは言った。理由はわからなかったが、とにかく千恵さんの容体は安定していた。それが病室を訪れるすべての人を幸せな気分にした。

5月5日。病室に高校時代の親友が訪ねてきた。テニス部で一緒に汗を流し、長い休みになるといろんな場所に一緒に旅行に行った。千恵さんにとっては母を亡くした直後の3年間に、楽しい時間とつらい時間をいつも共有してきた友だった。その親友と話をしていると、千恵さんはふと「上のレストランでご飯食べようか」と言って体を起こした。車椅子に乗り点滴をぶらさげたスタンドを持ったまま19階にあるレストランへと行った。誰もがその姿を見て信じられない気持ちだった。それまでほぼ寝たきりだった千恵さんは、レストランの椅子に座って1時間もの間親友と話をし、オムライスを二〜三口食べた。

「無理をした」と言う人がいるかもしれない。しかし千恵さんにとっては無理をしてでも楽しく過ごすことが、無理をせずに何もしないよりはるかに大事だった。何もしないことはすなわち病気に負けることを意味した。毎日「がん患者」という肩書きをぶら下げて生きるわけにはいかなかった。長島千恵は長島千恵であり、「がん患者・長島千恵」ではない。千恵さんはいつも自分らしく生きようとしていた。

病室に戻ると千恵さんはすぐにベッドに横になった。
「オムライスおいしかった？」と太郎さんが聞いた。
「おいしかったよ」と千恵さんは答えた。
「千恵が作ってくれるオムライス早く食べたいな」と言った太郎さんに
「いいよ。また食べようね」と千恵さんは答えた。

これが千恵さんと太郎さんの最後の会話になった。

横になって眠りについた千恵さんの横顔を太郎さんはじっと見ていた。ちょっと疲れたかな。ゆっくり体を休めてくれればいいな。そう思った。
その夜、千恵さんはぐっすりと眠った。ベッドの横に置かれたたくさんのぬいぐるみたちもつられてぐっすり寝込んでしまいそうなほど千恵さんは深く静かに眠った。
太郎さんも久々に長い時間目を覚まさずに眠れた。いつものように夜が過ぎ、いつものような朝が来ると信じていた。

翌朝、太郎さんが目を覚ますと、千恵さんは目を閉じたままだった。そして、昼になっても千恵さんはまったく起きる気配がなかった。静かに上下する胸と「すーっ」という呼吸音だけが千恵さんの「無事」を示していた。太郎さんは千恵さんに大好きなアイスクリームを食べないか、と尋ねてみた。しかし千恵さんからの返事はなかった。シャーベットはどう？　と聞いてみた。しかし千恵さんの唇は少しも動かなかった。いつも千恵さんのことを気にかけてくれていた看護師が病室に来てしばらく様子を見た後、「もう意識がないようですね」と言った。

ゴールデンウィークの最終日ということもあり、病室には大勢の親族や友人がお見舞いに来ていた。病室に入りきれないほどで、いつも病室に来ている貞士さんと加代子さんは遠慮して病室を外した。

太郎さんはずっと病室の窓際に立ち、静かに上下する千恵さんの胸をただ黙って見つめていた。千恵さんはマンションのベッドで二人で寝ていた時と同じような穏やかな顔で眠っていた。「意識がない」と言われても、また目を覚まして「太郎、あのね」

と話かけてくるだろうと思っていた。

夕方になり、細かい雨が降り出した。駐車場に停めた車の中でたばこを吸っていた貞士さんが病室に戻ってきた。千恵さんはたくさんの人に見守られて、静かに眠っていた。貞士さんはいつもそうしているようにベッドの横の椅子に腰かけ、千恵さんの手をそっと握った。安らかな寝顔だった。柔らかい表情だった。

そして、その時だった。

千恵さんは静かに呼吸を止めた。


「千恵……」

父は思わず娘の名前を呼んだ。嘘だろ、千恵……、嘘だろ……。今までちゃんと呼吸してたじゃないか。お父さんの手で安心したのか？　でも突然じゃないか。どうして急に……、どうして……。俺一人になっちゃうよ、千恵……。

握ったままの手からは千恵さんの温もりが伝わってきた。24年前に産院で初めて抱いた時のあの温もりだった。

「千恵が呼吸を止めちゃったよ」

加代子さんはそう言われて胸がぎゅっと締めつけられた。病室に駆け入るとベッドの上にはただ眠り続けているだけのような千恵さんがいた。血色もよくふっくらとしたままの表情は昨日までの千恵さんと何ら変わらないように思えた。ただ一つ、「すーっ」という呼吸音だけが消えていた。「千恵！　千恵！　千恵！」と呼びかけた。しかし何も返ってこない。「千恵！　まだ嫌だよ……、千恵！　千恵！」何度も何度も声をかけた。覚悟はしていたはずだった。千恵が千恵らしく最期を迎えられるようにしたい、と思っていた。でもあまりにも早いよ、千恵……。まだ嫌だよ……。千恵……。

「動け！　動け！　動いてくれ！」

太郎さんは心の中で念じた。しかし、それまで機械仕掛けのように正確に上下していた胸は役割を完了したかのように動きを止めたままだった。

「なんで動かないんだよ。なんで止まっちゃうんだよ。動けよ」

ベッドに駆け寄り強く念じたが、千恵さんの体には変化は訪れなかった。父の手をそっと握ったままの千恵さんを見つめた。覚悟なんて全然できていなかった。まだ話すことがいっぱいあった。初めてデートした時のようにずっとずっと話をしていたかった。オムライス食べようって言ったじゃないか。犬と一緒に川に散歩に行こうって言ったじゃないか。治ったらもう一度結婚式をしようって言ったじゃないか。どうして勝手に死んじゃうんだよ。

でもその安らかな顔を見ていると、頑張り屋でいつも人に気を遣ってた千恵さんを思い出し、責める気持ちがすっと消えた。千恵は本当によく頑張った。本当によく頑張ったよ。もう頑張らなくていい。じっとしてな。静かに眠りな。太郎は千恵をほめてあげる。よく頑張ったよ、千恵……。

窓の外では細かい雨が静かに降り続いていた。

2007年5月6日・午後4時42分。
長島千恵さんは、24年と6ヶ月という生涯を閉じた。
「余命1ヶ月」の宣告から37日が経っていた。

告別式

千恵さんの葬儀は、千恵さんが子供の頃に走り回った砂浜にほど近い葬儀場で営まれた。晴れ女だったという千恵さんが気を利かせたのか、空には抜けるような青空が広がった。思えばあの結婚式の日もこんな青空だった。

予定していた焼香の時間を大幅に延長しなくてはいけなくなるほど葬儀にはたくさんの人が詰めかけた。最後の最後まで千恵さんは本当に多くの友人に囲まれていた。いつも病室に来ていた友人たちも焼香を行い、掌を合わせて千恵さんの冥福を祈った。祭壇の真ん中には千恵さんの遺影が飾られていた。彼女はウェディングドレスを着てにっこりと微笑んでいた。わずか1ヶ月前、チャペルで見せてくれたあの笑顔だった。父と歩いたバージンロード。彼からもらった指輪。千恵さんを愛する人たちが力を合わせて開いた結婚式は、きっと千恵さんにとって一生の思い出になったに違いない。祭壇の真

ん中で、千恵さんはずっとずっと笑顔を見せていた。

葬儀場の入り口にはたくさんの写真が飾られていた。白いタキシード姿の太郎さんとウェディングドレス姿の千恵さんが幸せそうな笑みをたたえていた。チャペルに来てくれた18人と一緒に全員で撮った写真もあった。緊張した表情の貞士さんと千恵さんが腕を組んでいる写真もあった。そして写真立ての隣ではあの結婚式の様子を収めたビデオが繰り返し再生されていた。小さな画面の中で千恵さんは太郎さんに指輪をもらって涙を流し、みんなと笑顔で記念撮影をし、「最高です。感動して、感激しまくりです」と興奮気味に話していた。ある人は言った。「ビデオの中が現実で、目の前の葬式は非現実にしか思えない」と。

出棺の時間が近づき、参列者が一人一人千恵さんの棺に白やピンクの花びらを添えていった。あっという間に千恵さんの棺は綺麗な花びらで溢れかえった。あの日、フラワーシャワーの中で最高の笑顔を見せた千恵さんの姿を誰もが思い出した。

千恵さんの棺が霊柩車に乗せられ、遺族代表の挨拶の時間になった。しかし貞士さんは話をすることができず、代わりに親族の一人が列席者を前に挨拶に立った。「千恵は24歳という短い生涯を終えました。本当に、本当に、最後まで頑張っていました」。

千恵さんの位牌を両手で持ったまま貞士さんは黙ってその挨拶を聞いていた。横には千恵さんの遺影を抱えた太郎さんがじっとコンクリートの地面を見つめていた。

霊柩車を先頭にした車列は、緑の木立に包まれた小さな火葬場に着いた。タンポポが小さな花を揺らしていた。どこからともなく小鳥のさえずりが聞こえてきた。静かで、平和で、暖かい春の日に思えた。

千恵さんが眠る棺は親族や太郎さんの手で運ばれ、茶毘《だび》に付された。そして、バーナーの火が灯った瞬間だった。太郎さんは突然人目をはばからずに号泣した。突き上げてくる悲しさと涙を抑えることができなかった。

最初に会った時、柔らかい笑顔を見せた千恵さんを思い出した。

涙を流しながらすべてを打ち明けてくれたあの日を思い出した。

髪の毛が抜け、乳房を失っても「頑張る、頑張る」と言った顔を思い出した。

二人で一緒に夜遅くまで勉強をした日々を思い出した。

ずっと「ごめんね」と言い続けたあの夜を思い出した。

結婚式の直前に見せた笑顔を思い出した。

祭壇で指輪を渡した時、突然流した大粒の涙を思い出した。

そして余命1ヶ月と言われた日、
寂しそうな表情をしてベッドに座っていた千恵さんを思い出した。

どこにこれほどの涙が隠されていたのだろうと思うほど、次々に涙が溢れてきた。ひとしきり泣いた後、記者の姿を見つけた太郎さんは「これであきらめがつきました」と言った。太郎さんは信じていなかったのだ。千恵さんが息を引き取っても、棺の中に入れられても、僧侶が読経を行っても。太郎さんは千恵さんが亡くなったことをずっと信じられないでいたのだ。太郎さんの顔は涙でぐしゃぐしゃになっていた。

すっかり濃くなった木々の緑が三浦海岸から吹いてくる暖かい風に揺れた。バーナーの音が小さく聞こえた。煙突からは少しだけ灰色がかった煙が上がっていた。晴れ渡った空を、千恵さんは天国に向けてゆっくりと舞い上がっていった。

千恵さんは病室で太郎さんにこんなことを話していた。
「車椅子に乗って……お外行って……。外の空気は元気になるよ。こんな都会の空気でも、外の空気はやっぱり気持ちいいの、風って気持ちいいの。知ってる?」

温かい風が吹くたびに、太郎さんは千恵さんを感じられる気がした。

生前、記者は千恵さんに聞いたことがあった。

「ウェディングドレスの願いは叶ったけど、その次の願いはなんだろう?」と。

その問いに千恵さんは「なんだろう」としばらく考えた後、こう言った。

「家に帰りたいかな……。家に帰って、ちょっとみんなを安心させてあげたい。そして体調をキープして、みんなを安心させてあげたいな、と思いますね……」

お父さんの腕に抱かれ、千恵さんは思い出がいっぱい詰まった実家に戻った。千恵さんの遺灰を入れた壺はピンク色の布に包まれ、広い居間の仏壇の前に置かれた。千恵さんの帰宅を迎えるかのように、白いカーテンが海風に揺れた。

その仏壇の前で記者は聞いた。

——今、千恵さんはどんなことを思ってるでしょうね?

涙をこらえながら、貞士さんはこう答えた。

「がんになった時、『こんな姿になってごめんね』って千恵が言ったんですよ。『お父さん、ごめんね』って。それが気になってね……。『そんなこと言うな。絶対治るから』って言ってたんだけど……。まさかこんなふうになるとは思わなかっただろうね……。どういうふうに思ってるのかな……」

太郎さんにも同じ質問をした。

「してあげられるだけのことはしたので……。『ありがとう』って絶対言ってると思います」

しばらく涙をこらえた後で、太郎さんは続けた。

「でも、生きている側からすれば……、もうちょっとしゃべりたかったな……。あと1日でもいいから……」。太郎さんの目に涙が溢れた。

俯いたまま涙する二人を、笑顔の千恵さんが遺影の中から見つめていた。

絆

季節は春から夏に変わろうとしていた。6月21日。四十九日の法要が千恵さんの実家近くの寺で営まれた。僧侶がお経を唱え、親族や友人が一人一人焼香を行った。読経を終えた後、僧侶はこの日をもって千恵さんは仏になるのだと言った。仏になった千恵さんを思い返して涙するのは失礼なことで、いつまでも悲しんでいてはいけないと言った。それは悲しみを断ち切らせるための僧侶なりの心遣いだったのかもしれない。しかし、そこにいた誰もがその言葉を素直に受け止めることはできなかった。目をつぶればすぐに笑顔の千恵さんに会えた。パンダのようなあの柔らかい笑顔を思い出すことができた。千恵さんの姿を思い返すことが仏の道に反するとしたら、いくらでも罰が当たっていいと誰もが思った。

焼香が終わり、千恵さんの遺骨はお母さんが眠る墓に納められた。そしてその時、太郎さんはあの時の指輪をそっと骨壺の中に入れた。法要を終え、親族や友人たちが駐車場に引き上げていくなか、太郎さんは一人墓に向かって手を合わせていた。

四十九日の翌日。病室で千恵さんを支えてきたみんなが集まり、バーベキューをした。「千恵が喜ぶはず」と貞士さんと太郎さんが企画した。千恵さんが大好きだったお肉を焼いて、みんなでわいわい騒ぎながら楽しいひとときを過ごした。千恵さんの思い出話に花が咲き、みんなで何度も笑った。不思議と思い出すのは笑顔の千恵さんばかりだった。

貞士さんは言った。
「千恵がまだその辺にいるような気がするんですよ。『ただいま』って言いながら帰ってくる気がする。時々夢を見るんですけど、いつもにこにこと笑いながら話しかけてくれるんです。天国ではお母さんと一緒にいてくれていると思う。お母さんは『まだ早いよ』って思っているかもしれないけどね」

毎日病室に行き、車椅子を押した怜子さんは言った。

「千恵はすごく幸せだったと思います。いつも一緒にいてくれる太郎さんがいて、千恵のことを本当に心配してくれるお父さんや加代子さんがいて。本人に聞いたら絶対『幸せだった』と言うと思いますよ」

ブライダルネイルを施した江川さんは言った。

「千恵ちゃんからはいろんなものをもらいました。たくさんの友達から形にならない大切なものまで。千恵ちゃんはすごく可愛い顔するんですよ。何でも許せちゃう笑顔。その笑顔を思い出します。千恵ちゃんに出会えて、同じ時間を少しでも共有できて本当によかったです」

結婚式場を必死に探した桃子さんは言った。

「千恵ちゃんに会って、話ができることが本当に幸せだなって心から感じたんです。最後まで本当に病室も明るかったし、千恵ちゃんには本当に感謝してる。本当に神様がいるなら、神様が与えてくれた1ヶ月だったと思います。本当に長い時間、友達としてできることをやってあげられる時間をもらえたなと思います。本当にそう思います」

毎日栃木からかけつけてくれた叔母の加代子さんは言った。

「千恵のお母さんが生きていたら、千恵はもっとわがままを言えたんだと思う。もっと『つらいよ』って泣けたんだと思う。でもいつも千恵はどんなに泣いても『大丈夫。もう泣かない。頑張るから』ってそればっかりだった。もっともっと長生きしてほしかったけど、千恵は十分に頑張った。『助けてあげられなくてごめんね』って言ってあげたい。それから『よく頑張ったね』って言ってあげたい」

そして太郎さんは言った。

「千恵に出会った時から、千恵と会える毎日が最後まで本当に楽しかった。ずっとそばにいてくれたおかげで、毎日を前向きに過ごせます。千恵は全力で走り続けてきたから、今はもう頑張らなくていいんだよ、ゆっくり休んでね、と言ってあげたいです。千恵には感謝しきれないくらいたくさんのことを教えてもらいました。一生感謝します」

千恵さんが亡くなってから、太郎さんはたびたび千恵さんの実家に顔を出すようになった。夜遅くに仕事を終え、電車に揺られて貞士さんが一人住む家を目指した。玄関を開けて言う言葉はいつの間にか「おじゃまします」ではなく「ただいま」になった。貞士さんが笑顔で出迎え、太郎さんは千恵さんの部屋で部屋着に着替える。夜遅い「帰宅」を貞士さんは楽しみにしていた。太郎さんのために桃をむき、広い居間で男二人、ビールを飲みながらそれを食べた。千恵さんはその姿を遺影の中から静かに見守っていた。

千恵さんは生前、太郎さんにこんなことを言っていた。

「もし私がいなくなったら、きっとお父さんはつらいんだろうな。私がお父さんにしてあげてたことを太郎がしてくれたら嬉しいな」と。

でも太郎さんはその言葉があったから貞士さんの元を訪れていたのではなかった。そこにいるだけで千恵さんの存在を感じ、笑顔を思い出すことができた。楽しかった日々を思い出し、共に頑張った日々を思い出すことができた。ただそうすることが心を癒してくれた。

千恵さんの部屋からは次第に彼女のにおいが消え去ろうとしていた。千恵さんの柔らかい肌の感触も少しずつ遠い記憶になろうとしていた。それをふと感じるたびに太郎さんは寂しさに襲われた。しかしそんな時、太郎さんはじっと目を閉じた。するとそこにはパンダのような優しい顔でにっこりと微笑む千恵さんが現れた。

千恵さんはこれからも彼女を愛するすべての人の心の中で生き続けていく。そして彼女を思い出すたびに誰もが、命とは何か、愛とは何か、感謝することとは何か、生きることとは何か、といったさまざまなことを考えるだろう。

残された人たちはそれぞれの道を歩み始めた。それぞれの忙しい日々を過ごし、それぞれの悩みを抱えながらこれからも生きていく。ただしこれだけはきっと忘れないだろう。明日が来ることは奇跡。千恵さんが残したその言葉を。

あとがき

「余命1ヶ月の花嫁」取材者　樫元　照幸
（TBSテレビ報道局）

携帯電話が鳴ったのは、彼女の死からわずか3分後のことだった。湯野川桃子さんは一瞬息をのんだ後、ゆっくりと私に告げた。「千恵ちゃんが亡くなりました」。覚悟していたはずだった。しかし、現実が目の前に突きつけられた時、私は体の震えを止められなかった。24歳と6ヶ月。あまりにも、あまりにも早い死だった。

霊安室で対面した千恵さんは、1ヶ月前と変わらないふっくらした優しい顔をしていた。最初のインタビューの時、「この人が本当に末期がん患者なのだろうか」と目の前の現実をなかなか理解できなかったのと同じように、今にも目を覚ましそうな千恵さんの顔を見て、「この女性は亡くなったのだ」と納得することは到底できなかった。

翌日、私は三浦海岸にある千恵さんの実家の広い居間で千恵さんに再び会った。そして、目を閉じたままの千恵さんに土下座し、謝罪した。どうしても謝らなければならないことがあったのだ。

実は、千恵さんの闘病記はTBSの報道番組「イブニング・ファイブ」の特集として5月2日に放送されることになっていた。「がんと闘う24歳女性の思い」という視点ですでに原稿も完成していた。しかし、番組の都合で放送が5月8日に延期になった。体調がよくなった千恵さんの様子を聞いて「1週間くらいなら大丈夫だろう」と勝手な判断をしたことも放送延期の理由の一つになった。千恵さんは放送を本当に楽しみにしていた。自分のメッセージがたくさんの人に届くことを自分の目で見、肌で感じたかったのだと思う。だからこそ、取材に応じ、カメラが回ることも一切拒否しなかったのだと思う。しかし、私はその願いを叶えてあげることができなかった。千恵さんが永遠の眠りについたのは放送の2日前だった。「イブニング・ファイブ」で特集の放送を出した時、一番感想を聞きたかった人はもうこの世にはいなかった。

それから2ヶ月後。千恵さんの最後の1ヶ月を追ったドキュメンタリー番組「余命1ヶ月の花嫁」を放送した。多くの人に、千恵さんの生き様を見てもらい、いろいろなことを考えてもらいたい、という気持ちがあった。と同時に、千恵さんの思いを少しでも多くの人に届けてあげれば千恵さんが許してくれるのではないか、という思いもあった。

結果として番組には大きな反響があった。７００通ものメールや電話、手紙が届いた。一つの番組にこれだけの感想が届くのは極めてまれなことだ。また、たくさんの視聴者が自身のブログやホームページに感想を書き込んでくれた。「千恵さんやまわりの人の姿に感動した」「幸せとは何か気づかされた」「生きていることがどれだけ幸せなことなのかと痛感した」「まわりの人に感謝していこうと思う」「がん検診にすぐに行きたい」。受け止め方はさまざまだったが、千恵さんや千恵さんを支える人たちの姿を見て、それぞれが大切な何かを感じ取ってくれていた。


「余命１ヶ月の花嫁」は「物語」ではない。24歳の女性が懸命に生きた「現実」の記録だ。最後の１ヶ月。千恵さんは苦しかったに違いない。つらかったに違いない。しかし、みんなと笑い、まわりの人に感謝し、最後の瞬間まで自分らしく生きた。そして、彼女を愛する人たちは最後まで千恵さんが千恵さんらしくあるために懸命の努力を重ねた。番組はそのありのままを伝えたつもりだ。

「余命１ヶ月の花嫁」は「特別な人の話」でもない。人は誰もがいずれ必ず死を迎える。愛する人の死に直面することもあるだろう。誰もが千恵さんの立場になり、太郎さんや貞士さん、加代子さんや友人たちの立場になるのだ。だからこそ、番組は多くの人の心を揺さぶったのだと思う。

今回、多くの人がつづってくれた感想が番組の書籍化という新たな一歩につながった。放送では伝えきれなかった千恵さんやまわりの人の言葉を読み、改めて何かを感じ取ってもらえれば嬉しい限りだ。千恵さんのメッセージがどこかで誰かに生かされることがあれば、千恵さんはきっと天国で笑顔を見せてくれるに違いない。

なお、この本の編纂にあたっては、国立がんセンター中央病院の清水千佳子医師と下山直人医師に医学面でのご協力をいただいた。改めて御礼を申し上げたい。お二人を始め、千恵さんのがんとの闘いに懸命のサポートをした同病院の医師と看護師には千恵さんがいつも感謝していたことをここで付け加えておきたい。

また、本書に登場する千恵さんを支えたすべての方々には何度も貴重な時間を割いていただき、取材に協力してもらった。この方々にも改めてここで謝意を示したい。

「千恵ちゃんの本を書くのなら厳しくチェックしますよ」という声に、千恵さんがいかに愛されていたかを強く感じた。

千恵さんは本当に素敵な女性だった。私もそのチャーミングでほのぼのとした人柄に心を奪われた一人になった。結婚式の映像をダビングしてプレゼントしたらとても喜んでくれて、何度も何度も再生して見てくれた。そしていつも「ありがとうございます」と言ってくれた。どんなにつらい時でもカメラを回すことを許可してくれた。千恵さんのために何かをやってあげたい、と私も心の底から思った。千恵さんに放送を見せてあげられなくて本当に後悔している。もし5月2日に放送していたらと何度も思った。そのたびに千恵さんがまぶたの裏に現れ、「人生にたら・ればはないんですよ」と言われてしまう。千恵さんは放送をどう思ったのだろうか。そしてこの本にどんな感想を抱くのだろうか。

出版企画／ TBS 事業本部コンテンツ事業局
ライセンス企画開発部

企画協力／吉野信吾

この本の売り上げの一部は、J.POSH（日本乳がんピンクリボン運動）の基金を通して、乳がん検診の普及による、乳がん早期発見に役立てるために使われます。

NPO 法人 J.POSH は、2003 年 3 月に全国初の NPO 法人認証を受けた、乳がん啓発活動市民団体です。乳がんについての啓発と情報提供、マンモグラフィー検診の普及促進、乳がん専門医療スタッフ育成や患者会活動への助成、患者と家族のサポートなどを目標に、すべての女性、患者、患者の家族が涙を流すことのない社会・健康づくりを目指してさまざまなピンクリボン活動を行っています。
マンモグラフィー検診機器が整備された全国の医療機関の一覧は、J.POSH のサイト内から調べることができます。同サイトには、乳がん学会認定病院一覧、また、全国の女性外来一覧も紹介されています。

http://www.j-posh.com/index.htm

余命1ヶ月の花嫁

発行日　2007年12月13日 第1刷発行

編者　TBS「イブニング・ファイブ」

発行人　石﨑孟

発行所　株式会社 マガジンハウス
〒104-8003　東京都中央区銀座 3-13-10
書籍営業部　☎ 03-3545-7175
書籍編集部　☎ 03-3545-7030

印刷・製本　株式会社 光邦

装丁　細山田光宣 + 林亜衣（細山田デザイン事務所）

©2007 Evening Five（TBS）, Printed in Japan
ISBN978-4-8387-1823-8 C0095

乱丁本、落丁本は小社書籍営業部宛にお送りください。
送料小社負担にてお取り替えいたします。
定価はカバーと帯に表示してあります。

マガジンハウスのホームページ
http://www.magazine.co.jp